POVO
DE DEUS

Juliano Spyer

POVO DE DEUS

Quem são os evangélicos e por que eles importam

Apresentação
Caetano Veloso

Com prefácio do antropólogo
Gabriel Feltran

GERAÇÃO

Copyright © 2020 by Juliano Spyer
Copyright © 2020 by Geração Editorial
6ª edição – Agosto de 2025

Grafia atualizada segundo o Acordo Ortográfico da Língua Portuguesa de 1990, que entrou em vigor no Brasil em 2009.

Editor e Publisher
Luiz Fernando Emediato

Assistente Editorial
Antonio Emediato

Capa, Projeto Gráfico e Diagramação
Alan Maia

Revisão
Josias Andrade e Hugo Almeida

DADOS INTERNACIONAIS DE CATALOGAÇÃO NA PUBLICAÇÃO (CIP) DE ACORDO COM ISBD

D772d   Spyer, Juliano
           Povo de Deus: Quem são os evangélicos e por que eles importam / Juliano Spyer. – São Paulo : Geração Editorial, 2025.
           288 p. ; 15,6cm x 23cm.

           Inclui bibliografia.
           ISBN: 978-85-8130-508-0

           1. Ciências sociais. 2. Política. 3. Religião.
           4. Evangélicos. I. Título.

2020-1605   CDD 300
                                                                         CDU 3

Elaborado por Odilio Hilario Moreira Junior – CRB-8/9949

Índices para catálogo sistemático
1. Ciências sociais 300
2. Ciências sociais 3

GERAÇÃO EDITORIAL
Rua João Pereira, 81 – Lapa
CEP: 05074-070 – São Paulo – SP
Tel.: (+ 55 11) 3256 -4444
E-mail: geracaoeditorial@geracaoeditorial.com.br
www.geracaoeditorial.com.br

Impresso no Brasil
Printed in Brazil

Juliano Spyer é mestre e doutor em antropologia pela *University College London (UCL)*. Publicou, entre outros, *Mídias Sociais no Brasil Emergente* (Educ / UCL Press 2018) e *Conectado* (Zahar 2007). Entre abril de 2013 e agosto de 2014 Spyer morou, como pesquisador, em um bairro na periferia de Salvador, onde fez amizade e conviveu diariamente com famílias evangélicas. Este livro é um desdobramento dessa experiência. Para conhecer mais sobre seu trabalho, acesse o site: *www.julianospyer.com.br*

A sociologia difere das outras ciências por pelo menos um ponto: exige-se dela uma acessibilidade que não demanda da física ou mesmo da semiologia e da filosofia. [...] provavelmente não há domínio no qual o "poder dos especialistas" e o monopólio da competência "sejam mais perigosos e mais intoleráveis". E a sociologia não valeria uma hora de pena se tivesse que ser um saber especializado reservado aos especialistas.

Pierre Bourdieu,
Questões de Sociologia

Para Adriana Rodrigues, Claudio Moura, Cremilda Falcão, Davi Miguel de Souza e Diana Lima

"O cristianismo evangélico é uma forte e crescente realidade entre nós. Este livro nos ajuda a entender esse desafio instigante."
Patrus Ananias — deputado federal (PT-MG), ex-ministro do Desenvolvimento Social e Combate à Fome.

"O autor apresenta as razões pelas quais esta religião tem sido capaz de fortalecer a coesão social de comunidades desamparadas pelo Poder Público, tornando-se, assim, um movimento cultural decisivo."
Ricardo Abramovay — professor titular da FEA/USP e do IEE/USP

"O livro é bem-escrito, divertido e cheio de informações das pesquisas atuais que ajudarão tanto o leitor comum quanto o estudioso do tema a compreender o momento atual no país."
Amy Erica Smith — professora de Ciências Políticas na Iowa State University

---

"Este livro nos mostra a pluralidade de pensamentos, costumes e motivações dos evangélicos, por isso é necessário para entender o Brasil atual."
David Nemer — professor de Estudos de Mídias na Universidade de Virgínia, EUA.

"Este livro oferece uma introdução a uma das principais transformações sociais das últimas décadas: o crescimento evangélico no Brasil e seus possíveis impactos."
Malu Gatto — cientista política, professora da University College London

Sumário

APRESENTAÇÃO: Caetano Veloso 12
PREFÁCIO: para qualificar o debate..15

2020:
A década dos evangélicos **19**

1. O elefante na sala...21
2. O preço do silêncio 23
3. História e bastidores deste projeto 26
4. Aos leitores que não são evangélicos 28
5. Uma mensagem para os leitores evangélicos......................31
6. Síntese e principais insights dos capítulos..........................34

PARTE 1:
Noções fundamentais – sobre o que estamos falando **43**

7. Protestantismo...45
8. Protestante ou evangélico? Qual a diferença?.....................50
9. Protestantes históricos: intelectualizados e discretos........55
10. Pentecostais: dignidade moral e fé 56
11. Avivamento protestante e católicos carismáticos...............60
12. Neopentecostalismo: disciplina leva ao sucesso.................62

PARTE 2:
Cristianismo e preconceito de classe **67**

13. A presença evangélica no Brasil em números.....................69
14. Cristianismo evangélico e as periferias do Brasil...............78
15. Limites de classe: estar vulnerável versus ser vulnerável........81

16. Preconceito de classe 85
17. Um pobre que não aceita seu lugar 88

PARTE 3:
Evangélicos na mídia e mídia evangélica **91**
18. Sobre ataques a terreiros de umbanda e candomblé 93
19. A história do traficante evangélico 98
20. A cobertura dos 500 anos da Reforma Protestante 104
21. Mídia tradicional versus mídia evangélica 106

PARTE 4:
Consequências positivas do cristianismo evangélico **109**
22. Cristianismo, resiliência e disciplina 111
23. Estado de bem-estar informal 113
24. Incentivos para estudar 118
25. Maior igualdade de gênero 121
26. Notas sobre sexualidade e homoafetividade 131
27. A teologia da prosperidade 135

PARTE 5:
A religião mais negra do Brasil **139**
28. Uma alternativa aos espaços segregados 141
29. Trânsito religioso, convívio 143
30. A religião dos afrodescendentes 147

PARTE 6:
Reciclagem de almas – traficantes e cristianismo **151**
31. A fé atrás das grades 153
32. "A fé das pessoas matáveis" 156
33. Uma proteção para quem deixa o crime 158
34. A oração do traficante 161
35. Irmãos no crime, irmãos em Cristo 164

PARTE 7:
A esquerda e os evangélicos..................................**169**

36. Religião e política 171
37. Em vez de alianças de ocasião... 175
38. Individualismo e meritocracia 177
39. Evangélicos e a luta por direitos e dignidade............... 178

A instrumentalização da fé: igrejas no poder..................**181**

40. Quem tem medo dos evangélicos?................................ 183
41. A força dos evangélicos hoje 189
42. De pastor a político.. 192
43. Um chamamento de Deus 194
44. A bancada evangélica... 196
45. Um projeto de poder 200
46. Críticas ao movimento evangélico................................ 205
47. Tirar o leitor da zona de conforto................................. 211
48. Aquecimento global, Covid-19 e
    o futuro do cristianismo evangélico............................. 214

Agradecimentos **231**
Notas **233**

2020: a década dos evangélicos... 233
PARTE 1: Noções fundamentais – sobre o que estamos falando.. 240
PARTE 2: Cristianismo e preconceito de classe................... 247
PARTE 3: Evangélicos na mídia e mídia evangélica 252
PARTE 4: Consequências positivas do cristianismo evangélico... 253
PARTE 5: A religião mais negra do Brasil 262
PARTE 6: Reciclagem de almas – traficantes e cristianismo 263
PARTE 7: A esquerda e os evangélicos 266
CONSIDERAÇÕES FINAIS 267
Referências bibliográficas..**273**

APRESENTAÇÃO
Caetano Veloso
Musico e compositor

De todos os outros livros citados por este que tratam do mesmo assunto, eu só tinha lido o de David Smilde: em geral, leio o que me cai nas mãos — e o cineasta Jorge Furtado, na ida do nosso Ofertório a Porto Alegre, me deu um exemplar de *Razão para Crer*. É muito bom que coisas como o livro de Spyer (e os outros que ele menciona) venham sendo escritas. Há muito tempo me interesso pelo crescimento do neo-pentencostalismo no Brasil. E reagi sempre ao modo desatento e superficial com que o fenômeno era tratado por pessoas do meu ambiente. Pela imprensa, pelos intelectuais e formadores de opinião. A única exceção que eu encontrava (e, entre outras coisas, por isso passei a dar atenção especial a ele) era Roberto Mangabeira Unger. Em seus livros sobre política e também sobre filosofia, o papel do crescimento das igrejas evangélicas é levado em conta. No livro *Política*, do século passado, ele compara a ação das unidades católicas ("eclesiais de base") à dos evangélicos e dá a estes maior importância. No livro de Smilde, li que na Venezuela o conceito de "teologia da prosperidade" é muito combatido pela maioria dos evangélicos, sendo defendida apenas por uma denominação minoritária. Aqui, a Universal, a que mais cresceu, defende a tese. Tendo a admirar um "empreendedorismo de vanguarda", que é praticado majoritariamente por evangélicos (o que não quer dizer que confunda o que Mangabeira almeja com o que estes postulam). Por outro lado, convivo com empregados domésticos, aqui no Rio, que são quase todos evangélicos. Assim, este livro me interessou todo o tempo. Sei que é impossível (e indesejável) que alguém faça qualquer projeto para o Brasil sem levar em conta esse tema. E ninguém conseguirá nada se não respeitá-lo. A fala desastrosa de Haddad que este livro relembra é exemplo gritante disso. Num momento em que as grandes denominações evangélicas apoiam um governo que louva torturadores — e que o prefeito evangélico do Rio paga funcionários para obstruírem o trabalho da imprensa — é saudável ver retratado em estudo cuidadoso o clima de honestidade dos fiéis que não podem ser confundidos com descaminhos éticos de certas lideranças. Até para poder lidar com os problemas daí advindos, é crucial que se leia *Povo de Deus*.

PREFÁCIO:
para qualificar o debate
—
Gabriel Feltran

Você já deve ter se perguntado por que a população evangélica cresce tanto no Brasil. Deve ter seus palpites sobre como votaram os evangélicos para presidente, nas últimas eleições. Talvez não tenha se perguntado, ainda, como essa religião pôde ter crescido, ao mesmo tempo, entre policiais e bandidos, jovens e idosos, negros e brancos. Talvez tenha notado os diferentes usos das mídias pelos evangélicos, a começar pelo rádio e pela TV, mas talvez não tenha tido curiosidade acerca da vida sexual dos fiéis. Será ela diferente da de adeptos de outras religiões?

Seguramente você já ouviu falar da bancada evangélica no Congresso Nacional, e talvez de traficantes evangélicos, mas provavelmente não sabe qual a diferença entre pentecostais e protestantes históricos. Nem no que isso diferencia suas posições políticas. Provavelmente, você sabe que eles têm muito poder no Brasil de hoje, mas não sabe qual é a data prevista para que a evangélica se torne a religião com mais fiéis no país.

Todas essas perguntas, e muitas outras, já estão há muito tempo respondidas nas Ciências Sociais. Hã? Ciências sociais? Sim, a Antropologia, a Sociologia e a Ciência Política, que juntas formam as Ciências Sociais, já responderam a essas e a muitas outras perguntas sobre a religião, o trabalho, o empreendedorismo, a política, a violência e o que tudo isso tem a ver com os evangélicos e suas diferentes vertentes no Brasil. O problema é que respondemos a todas essas perguntas — que geraram tantas outras — mas, por incrível que pareça, não contamos para ninguém.

Nós, cientistas sociais, temos um problema sério com os muros da universidade. Somos contra esses muros, e ao mesmo tempo os reforçamos sem perceber, dia após dia. Queremos que todos possam entrar na universidade, porque sabemos que o conhecimento transforma vidas, e porque gente diferente, pensando junto, enriquece o pensamento. Por um lado, o conhecimento precisa da diversidade, o valor mais buscado pelas principais universidades do mundo. Por outro lado, quanto mais reclamamos dos muros universitários, mais usamos nossas próprias línguas — o sociologuês ou o antropologuês, por exemplo — para falar com quem não teve a oportunidade de aprender essas línguas.

Ninguém entende o sociologuês, e pior ainda, ele parece pedante visto de fora (às vezes é mesmo). Acaba afastando as pessoas com quem queria falar. Falando sociologuês, mediquês, fisiquês, aumentamos os muros da universidade, querendo derrubá-los. E então não conseguimos dizer para muita gente o quanto é relevante tudo o que tivemos a chance — raríssima, num país como o Brasil — de aprender na universidade. Perdemos a chance de comunicar às pessoas o conhecimento que milhares de pesquisadores levaram anos para entender, e que nos foi passado por professores dos mais qualificados.

Mas a culpa por esses muros que cercam o conhecimento acadêmico, embora também seja nossa, não é apenas nossa. Em especial nas Ciências Sociais. Além de "falar em línguas", sociólogos e antropólogos dizem coisas que muitas vezes não se quer ouvir. Peixes muito grandes, e mesmo alguns miúdos, podem se incomodar com o que dizem as Ciências Sociais.

Sociólogos falam, por exemplo, que as sociedades criaram seus deuses, e não o oposto. Que não é preciso um Deus para que haja comportamento ético, responsável, produtivo. Nem para que se entenda a origem do mundo social. Mas que não há problema nenhum no fato de as pessoas — e inclusive parte dos sociólogos — acreditarem em Deus, se isso é bom para elas. Dizem, ainda, que você pode acreditar em diferentes deuses, em diferentes situações.

O conhecimento científico do mundo social provoca mudanças na forma como as pessoas pensam, e muitas vezes diz coisas que incomodam. Os governos autoritários, e as religiões fundamentalistas, historicamente, combateram ativamente as Ciências Sociais. Graças a este livro, o conhecimento científico sobre um dos assuntos mais relevantes do país — a expansão evangélica no tecido social, na política e no mundo religioso — pode agora circular entre leitores não especialistas.

Juliano Spyer reúne neste volume os principais temas e debates estudados na Antropologia e Sociologia da Religião, relativos aos evangélicos no Brasil. E já se torna um texto de referência, a ser consultado no dia a dia, e um livro que pode ser lido também inteiro, de uma vez. Nas notas do livro, há indicações para quem quiser se aprofundar ainda mais em cada assunto, na vasta literatura nacional e internacional sobre o tema.

Mas o autor não parte apenas dos livros, para formular sua interpretação original sobre a presença evangélica contemporânea no Brasil e no mundo. Ele também fala com base na longa experiência de pesquisa de campo que teve com famílias evangélicas de Salvador (BA). Não é, portanto, alguém que apenas leu a respeito do assunto. Juliano Spyer conhece o assunto por vivenciá-lo desde diversas perspectivas: a do pesquisador de campo, do leitor, do educador e do comunicador.

Uma das verdades mais caras às Ciências Sociais, como a qualquer outra ciência, é estranhamente a de que não existe uma verdade, unitária, consensual. Da mais objetiva das ciências, a Matemática, até a mais subjetiva delas, a Filosofia, sempre há debates em torno do que é verdadeiro. Há diferentes teorias

Juliano Spyer

acerca do mundo, em todas elas. O diverso é mais verdadeiro do que o pensamento único. A única verdade na qual todos os cientistas acreditam é a de que ninguém é dono da verdade. As verdades são passageiras, históricas; e variam de povo a povo, de sociedade a sociedade, de época a época.

Juliano Spyer, como antropólogo, não espera que concordemos com cada uma das linhas que ele escreve, mas que tenhamos mais subsídios para que cada ideia aqui escrita possa ser debatida com mais propriedade. Que nosso debate público seja mais qualificado. Deveríamos seguir esse caminho, todos os cientistas sociais.

Este livro nos apresenta os evangélicos de uma maneira que pouca gente vê, inclusive quem professa alguma das diferentes vertentes da religião. A obra desvela, sobretudo, a cegueira das classes médias e das elites brasileiras diante de um dos fenômenos de transformação social mais relevantes — ao lado da expansão do mundo do crime e da globalização dos mercados (i)legais — pelos quais o Brasil passou nas últimas décadas.

Se os anos 2020 representam, finalmente, a década dos evangélicos, quem se importa com o Brasil tem aqui uma leitura obrigatória.

São Carlos, janeiro de 2020

Gabriel Feltran é professor do Departamento de Sociologia da UFSCar, pesquisador do Centro Brasileiro de Análise e Planejamento. É autor de *Irmãos: Uma história do PCC* (Cia. Das Letras 2018).

2020:
a década dos evangélicos

E conhecereis a verdade,
e a verdade vos libertará.

João 8:32

1. O elefante na sala

A expressão "o elefante na sala" é usada como metáfora para um problema ou risco importante que todo mundo conhece, mas ninguém menciona ou quer discutir por ser embaraçoso, controverso, inflamatório ou perigoso. Este livro argumenta que os evangélicos se tornaram o nosso elefante na sala: o fenômeno de massas mais importante das últimas décadas que é tratado como se ele não estivesse ali.

É verdade que alguns evangélicos poderosos aparecem na mídia, mas essa exposição é controlada. Ela geralmente reforça estereótipos negativos como o de fanático, conservador ou intolerante, sugerindo que todo evangélico é assim.

Considere o exemplo: em 2017, a Reforma Protestante completou 500 anos, e a matéria sobre a efeméride veiculada pelo *Jornal Nacional* recontou a história da Reforma e da migração de europeus protestantes ao Brasil. Não coube na pauta a recente conversão de milhares de brasileiros ao protestantismo em um movimento espontâneo originado nas camadas pobres. É o elefante na sala.

Nos anos 1970, evangélicos representavam apenas 5% dos brasileiros, hoje são um terço da população adulta do país, e na próxima década, segundo estatísticas, o número de protestantes superará o de católicos.

Juliano Spyer

Não é apenas a magnitude desse trânsito religioso que importa, mas seu simbolismo: pretos e pardos pobres convertidos ao protestantismo ascendem socialmente e ocupam o espaço de brancos de herança católica, inclusive se fazendo presentes dentro do Estado. Isso está acontecendo de maneira pacífica, na nona maior economia do mundo, em um país de dimensões continentais com 220 milhões de habitantes.

A relevância do fenômeno é amplificada pelo desconhecimento que as elites pensantes do país têm em relação ao cristianismo evangélico — apesar da rica e extensa literatura acadêmica produzida nas últimas décadas sobre o assunto.

Essa ignorância contrasta com a atenção que a violência urbana — outro tema importante e relacionado ao do crescimento evangélico — recebeu neste mesmo período. Todos os livros e filmes sobre evangélicos no Brasil somados provavelmente não tiveram uma fração da audiência de obras como *Tropa de Elite* (Padilha, 2007) e *Cidade de Deus* (Meirelles, 2002).

Mas isso vai mudar. Conforme vem sendo notado e debatido com base em pesquisas acadêmicas, o ambiente de muitas das igrejas evangélicas estimula a disciplina pessoal e a resiliência dos fiéis, promove a cultura do empreendedorismo, fortalece a atuação protetora de redes de ajuda mútua e incentiva o investimento em instrução profissional.

O cristianismo evangélico está deixando de ser apenas uma categoria religiosa. Ele se tornou um meio para constituir uma nova classe média brasileira — no sentido sociológico do termo, que resulta de investimentos na educação, e não apenas em termos de aumento de renda. Por esses motivos, 2020 será a década dos evangélicos, e quem não entender o cristianismo evangélico não terá condições de pensar o Brasil atual.

2. O preço do silêncio

Este livro pretende popularizar aquilo que é lugar-comum para sociólogos e antropólogos que estudam religião: que entrar para a igreja evangélica melhora as condições de vida dos brasileiros mais pobres. As causas materiais que transformam a vida de fiéis são simples. Elas incluem, entre outras: fim do alcoolismo e consequentemente da violência doméstica, fortalecimento da autoestima, da disciplina para o trabalho e aumento do investimento familiar em educação e nos cuidados com a saúde. Esse conjunto de mudanças geralmente conduz à ascensão socioeconômica.

Esse fenômeno é importante, considerando o problema representado pela desigualdade no Brasil e em como essa desigualdade se reflete, por exemplo, no crescimento da violência urbana e na expansão do crime organizado. Quase um terço dos pentecostais, que é o grupo mais numeroso entre os evangélicos, vive em situação de pobreza aguda, com renda familiar *per capta* igual ou inferior a meio salário mínimo.

O dado negligenciado por muitos jornalistas, formadores de opinião e intelectuais é que o crescimento do cristianismo evangélico no Brasil tem menos a ver com pastores oportunistas e carismáticos, e mais com a influência das igrejas para melhorar as condições de vida dos mais pobres. Tornar-se evangélico, portanto, não é só uma aposta no sobrenatural, mas uma escolha feita a partir da observação da experiência das pessoas que moram no seu entorno, nas periferias e nas favelas.

As igrejas evangélicas funcionam como estado de bem-estar social informal ocupando espaços abandonados pelo Poder Público. Desde que a migração massiva de nordestinos pobres para as cidades começou, em meados do século 20, que nessas "quebradas" as igrejas proveem desde conforto emocional, dinheiro em momentos de dificuldade, acesso a empregos, consultas com profissionais da saúde, encontros com advogados ou com representantes do Poder Público, até vagas em clínicas de desintoxicação.

Do ponto de vista psicológico, como no caso da luta pelos direitos civis nos Estados Unidos nos anos 1960, o cristianismo evangélico reforça entre os mais vulneráveis o sentimento de dignidade e de respeito próprio. Dessa maneira, a Igreja produz uma narrativa de vida alternativa para jovens sem ocupação que consideram entrar para o crime e ainda é uma porta de saída para ex-criminosos e dependentes químicos refazerem suas vidas.

Por esses motivos, o crescimento do movimento evangélico precisa ser compreendido, e até propriamente criticado, mas muitos progressistas, mesmo aqueles com títulos universitários nas humanidades, não saberiam diferenciar o evangélico da Assembleia de Deus daquele que frequenta a Igreja Universal ou um batista de um adventista. O pesquisador e pastor Davi Lago classifica essa visão dos evangélicos como "infantil". Ao atacar uma imagem caricata e ingênua de "evangélicos", sugere-se que o problema a ser combatido seja a religião e não o posicionamento de certas lideranças religiosas.

No Brasil, a consequência de se alienar do debate e hostilizar esse grupo de maneira genérica e desinformada aparece no enfraquecimento de lideranças evangélicas progressistas dentro de suas comunidades, e consequentemente na promoção dos conservadores. Eleitos, em nome da defesa dos costumes, evangélicos conservadores se aliam a grupos da elite econômica como a bancada da bala e a do boi, apoiam a redução da maioridade penal, o fortalecimento das políticas repressivas ao crime, o fim de programas de combate à pobreza, mas não se envolvem na defesa de pautas para o combate à corrupção.

A mesma polarização acontece em escala internacional, associada com o crescimento do nacionalismo conservador. Nos Estados Unidos, Mark Lilla, cientista político da Universidade de Columbia, responsabilizou as forças progressistas do país pela

POVO DE DEUS

eleição de Donald Trump em 2016. Para Lilla, a falta de diálogo dos progressistas, por exemplo, com cristãos evangélicos, que representam um a cada quatro americanos, levou esse grupo a votar massivamente (80%) em Trump.

Na campanha presidencial brasileira de 2018, enquanto o candidato petista chamava o bispo Edir Macedo de "charlatão", Jair Bolsonaro se apresentou para a sociedade como representante dos valores familiares cristãos, e no segundo turno colheu a maioria (68%) dos votos evangélicos. Para muitos analistas, foi o voto evangélico que deu a vitória ao ex-capitão.

Juliano Spyer

3. História e bastidores deste projeto

Se alguém me dissesse, em 2012, quando comecei o doutorado, que um dia eu escreveria um livro sobre evangélicos, eu não acreditaria. Fora ter vivido com uma família batista nos Estados Unidos por seis meses durante um intercâmbio estudantil, meu único contato recorrente com evangélicos foi trabalhando na campanha presidencial da ex-ministra do Meio Ambiente, Marina Silva, em 2010. Mas durante 18 meses de pesquisa de campo para o doutorado em um bairro periférico de Salvador, passei a conviver com várias famílias evangélicas, e gradualmente meus relatórios de trabalho foram incluindo mais e mais observações sobre esse assunto.

Depois de seis meses, meu orientador foi até a localidade acompanhar o progresso da pesquisa de campo; e um dia fomos visitar uma ocupação de terra em processo de urbanização. A paisagem não é diferente daquilo que se vê nos bairros do fundo das cidades brasileiras: espaços em terrenos baldios e estreitos rapidamente abrigam casas que, por isso, crescem para cima, pelas lajes. Estas construções viram novos lares, que passam a ser ocupados por familiares ou são alugados.

No fim de nosso "rolezinho", meu orientador notou uma regularidade: as casas de famílias evangélicas destoavam das dos vizinhos. Em vez de tijolo exposto, víamos reboco e pintura nova nas paredes. Dentro, em vez de "puxadinhos" conjugados com passagens improváveis entre casas e escadas inesperadas para lajes, encontramos cômodos simples, mas projetados com funções definidas: lavabo, sala de estar, sala de jantar, suíte para o casal etc. Em vez da morada compartilhadas das famílias estendidas, notamos a existência do âmbito privado e reservado das famílias nucleares com mãe, pai e filhos habitando seus quartos respectivos. Também era comum encontrarmos nesses ambientes equipamentos e serviços que representavam modernidade, como TV de tela plana, Wi-Fi e pacote de TV a cabo. Nem toda casa de evangélicos era exatamente assim, mas o padrão era visível.

Mas minha pesquisa não era sobre religião, e foi só por um mal-entendido que me aproximei de evangélicos durante o trabalho de campo na Bahia. Aconteceu assim: nos meses seguintes à minha mudança para a localidade, em abril de 2013, muitos moradores começaram a suspeitar que eu fosse um policial trabalhando à paisana. O boato se espalhou porque, apesar de ser um lugar pobre, havia ali pessoas poderosas envolvidas com ocupação ilegal de terras, uso privado de recursos públicos; grupos ligados ao tráfico e acordos ilegais feitos por autoridades para a exploração de recursos naturais. E eu era um estranho, sem vínculos familiares com o local, que passava o dia "desocupado" conversando com as pessoas e fazendo muitas perguntas. Basicamente a descrição de um agente à paisana.

Fiquei sabendo do boato ao ser discretamente ameaçado de morte, e para não precisar mudar para outra localidade já tendo criado algumas relações ali, procurei me envolver em atividades que não alimentassem essa suspeita. Foi assim que passei a aceitar o convite de todos os evangélicos locais que quisessem me levar para conhecer suas igrejas. A maioria desses cristãos se afastava educadamente quando entendia que eu não pretendia me converter, apenas fazer muitas perguntas, algumas embaraçosas, sobre suas vidas. Mas fui acolhido por algumas famílias que me viam como um bom exemplo de pessoa comprometida com o conhecimento — uma espécie de professor. Por intermédio delas e devido ao tempo em que estivemos juntos e aos vínculos que desenvolvemos, tive contato prolongado com as comunidades que participam regularmente das atividades em suas igrejas. Esse foi o ponto de partida deste projeto.

Escrevi este livro pela relevância do assunto, para retribuir a confiança dos evangélicos que partilharam comigo suas histórias e para oferecer ao público leigo reflexões sobre o protestantismo evangélico, que não fossem apenas o resultado de reportagens jornalísticas, mas baseado nas pesquisas de muitos estudiosos do cristianismo no contexto do Brasil popular. Apesar disso, não sou especialista em antropologia da religião; e se fosse, talvez não teria ousado abordar um tema tão polêmico e complexo de maneira direta e clara.

4. Aos leitores que não são evangélicos

Alguns cientistas sociais tratam a religião como mecanismos de fuga das pessoas, como algo que as aliena dos problemas que vivenciam. O ponto de vista representado na ideia de que "a religião é o ópio do povo" (Marx, 1844) é que as crenças no sobrenatural são formas de controle que impedem as pessoas de agir e transformar sua condição de oprimido. Para o sociólogo da religião David Smilde, "o argumento neomarxista corresponde ao senso comum simplório da maioria dos intelectuais [de que] na melhor das hipóteses, o movimento evangélico é uma expressão de inutilidade; na pior, de imperialismo cultural".

Vemos essa perspectiva aparecer em declarações de intelectuais. Em uma passagem biográfica, o escritor americano Dan Harris registra seu incômodo em relação às religiões:

> Há muito tempo, provavelmente durante algum debate superficial na época da faculdade, eu havia decidido que o agnosticismo era a única posição razoável e não voltara a pensar no assunto. Minha visão era impiedosa, enraizada numa combinação de apatia e ignorância. Pensava que religiões organizadas eram uma idiotice e que todos os fiéis — fossem inspirados por Jesus ou pela Jihad — deviam ter alguma deficiência cognitiva. [*10% Mais Feliz*, 2014]

O desinteresse pela religião, descrito por Harris, aparece neste diálogo envolvendo o protagonista do romance *Barba Ensopada de Sangue*, do escritor brasileiro Daniel Galera:

> — Tu vai na igreja?
> — Vou nos domingos. Tenho ido na capelinha da praça ali. É um amor, tu já entrou?
> — Nunca.
> — Tu não tem religião?
> — Não. Tu tem?
> — Ah, acredito em Deus. Só isso. Fui criada assim. Igreja aos domingos desde criança, me faz bem rezar. Eu gosto de ir lá e rezar. Eu sei que é irracional e tal. Queria parar mas não consigo. *[Barba Ensopada de Sangue, 2012]*

Conforme afirma Smilde, intelectuais tendem a tratar a religião ou como inutilidade ("eu sei que é irracional e tal") ou como imperialismo cultural ("inspirados por Jesus ou pela Jihad").

Em relação a esta visão que reduz a religião a relações de poder, prefiro a posição advogada pelo sociólogo da religião Andrew Johnson, de não questionar a experiência mística, mágica ou divina vivida pelos evangélicos que ele estudou. Seu estudo sobre a conversão de presidiários ao pentecostalismo não pretende explicar aquilo que está "realmente acontecendo" com as pessoas que adotam o cristianismo evangélico. Ele não usa os depoimentos como provas da existência do sobrenatural, mas também não tenta desconstruir os fundamentos teológicos de seus pesquisados. A meta, bem como o limite de sua pesquisa, foi examinar o mundo social dentro e nos entornos dos espaços evangélicos que estudou.

Diante desta escolha, que não tenta explicar a fé religiosa em termos políticos ou econômicos, alguns leitores talvez concluam que eu substituí uma visão idealizada negativa dos evangélicos por uma que é igualmente idealizada, mas favorável a eles. Explico os motivos dessa reação.

Este livro é o resultado de um esforço para apresentar para leitores sem formação nas Ciências Sociais as partes principais da literatura sobre cristianismo que vem sendo produzida por antropólogos e sociólogos da religião, teólogos, cientistas políticos e historiadores, no Brasil e em outros países. Por uma decisão estratégica, na maior parte do livro enfatizo aspectos menos difundidos sobre o cristianismo evangélico, como o de que a conversão transforma positivamente a vida dos cristãos. Em um momento histórico em que falar sobre evangélicos se resume a discutir assuntos como bancada evangélica ou conservadorismo moral, ofereço ao leitor alguns dados menos divulgados e analisados por ângulos novos.

Além dessa escolha, pela maneira de organizar os capítulos do livro, reconheço ter um olhar simpático ao cristianismo evangélico como pesquisador, mas há uma diferença que pode ser sutil entre aceitar que evangélicos pensem de forma diferente e concordar com o que eles pensam. Este livro não defende os valores morais ultraconservadores de muitos cristãos evangélicos, geralmente inspirados em valores e práticas apresentados na Bíblia.

Ao mesmo tempo, este livro não pretende fazer com os críticos dos evangélicos o que esses críticos fazem com os próprios evangélicos, que é criar um espantalho em que seja fácil bater, mas não é exatamente real. Por isso, além de apresentar debates que ampliam o entendimento sobre cristianismo evangélico como fenômeno social, examino também, especialmente na última parte do livro, os problemas que resultam da instrumentalização da fé para — entre outros temas — a eleição de candidatos ligados a igrejas e a influência desses parlamentares no governo.

5. Uma mensagem para os leitores evangélicos

Em relação à mesma perspectiva apresentada no início do capítulo anterior, de que a fé seja apenas uma ilusão abraçada por pessoas com menos escolaridade ou em situações de desespero, um amigo evangélico me respondeu após ler uma versão anterior deste livro:

"Insisto que a ideia da fé como muleta carrega em si um juízo de valor de cunho preconceituoso, porque parte da premissa de que a fé é uma necessidade para fracos, problemáticos e carentes. Te confesso que não tenho interesse acadêmico no fenômeno religioso. A ciência pode analisar e compreender determinados aspectos da experiência religiosa humana, mas nunca poderá ir na essência. No lugar de ser um teórico da fé, escolhi vivê-la com intensidade para ajudar a resgatar pessoas do poço e ajudá-las, como eu fui ajudado, a experimentar uma vida mais saudável, mais produtiva e solidária."

Vários dos estudos citados ao longo deste livro devem incomodar leitores evangélicos, levando-os a reagir de maneira semelhante à deste amigo. Eles provavelmente rejeitam a ideia de que a conversão seja uma decisão racional tomada para se atingir determinadas metas — sejam elas parar de beber ou de usar outras drogas, ter uma vida familiar menos turbulenta ou atingir o sucesso financeiro.

Evangélicos não estão sozinhos em relação a esse incômodo. Recentemente alguns pesquisadores têm se questionado sobre as implicações desta visão, comum nas Ciências Sociais, da fé como instrumento de ação prática e independente do aspecto sobrenatural. O sociólogo americano David Smilde, que durante anos pesquisou pentecostais venezuelanos, fez desta questão o tema de seu estudo acadêmico, publicado em português com o título *Razões para Crer*.

Smilde explicita o problema perguntando aos leitores: "Pode-se mesmo *decidir* crer numa religião por haver proveito nisso?". Seu argumento é: se a conversão é o resultado de uma escolha que, conforme muitos estudos apontam, traz benefícios aos convertidos, por que nem todo mundo decide seguir esse caminho? Por que existem tantas pessoas que vivem em condições de vulnerabilidade, que atravessam os mesmos percalços relacionados à desigualdade estrutural, racismo, baixa escolaridade e outros preconceitos e, no entanto, apenas algumas delas abraçam o cristianismo evangélico? Conforme Smilde aponta: "Se o povo [...] de qualquer lugar pudesse simplesmente se decidir a crer, as consequências seriam imensas. Poucos ficariam deprimidos, os conflitos familiares se resolveriam, o crime e a violência teriam fim e a baixa autoestima seria coisa do passado. [...] Se é possível decidir crer, por que nem todo mundo o faz?".

A questão examinada por Smilde aparece também, em uma situação diferente, no filme de ficção científica *Matrix* (Lana Wachowski; Lilly Wachowski, 1999). Na história, o personagem principal Neo desperta para o fato de que o mundo em que vivemos é uma simulação computacional onde a espécie humana é escravizada inconscientemente para fornecer energia elétrica para alimentar máquinas inteligentes. Neo precisa acreditar na profecia que diz que ele é o salvador da humanidade, mas ele não consegue simplesmente acreditar, ele quer saber racionalmente que isso seja verdade. Em face do dilema, o personagem Morpheus explica:

"— *Neo, cedo ou tarde você entenderá, assim como eu, que existe uma diferença entre saber o caminho e andar pelo caminho.*"

Meu amigo evangélico citado no começo deste capítulo reproduz essa ideia ao dizer que "A ciência pode analisar e compreender determinados aspectos da experiência religiosa humana, mas nunca poderá ir na essência".

Esta limitação, no entanto, não reduz a validade de se encontrar dados e analisá-los comparativamente em relação a estudos semelhantes, à luz das lentes interpretativas disponíveis. Mesmo o fiel mais devoto reflete e consome reflexões (comentários teológicos, por exemplo) para pensar sobre sua prática e pode, também, tirar proveito de análises que resultam de pesquisas acadêmicas e que estão em processo contínuo de questionamento.

O estudo de Smilde é exemplar e parte de uma pesquisa que acaba confirmando aquilo que buscava contestar. Ele parte de um questionamento sobre a natureza da crença, entendendo que deveria haver mais do que uma motivação instrumental para a conversão; mas ao analisar os resultados de seu trabalho de campo ele conclui que é, sim, possível escolher acreditar em uma religião. Ele, no entanto, pondera que a conversão ao cristianismo e também os resultados dessa escolha dependem de condições que facilitam ou dificultam que a pessoa se identifique e aplique à sua vida a "cosmovisão" (maneira de entender o mundo) evangélica. Ou seja, apesar de a escolha da conversão estar disponível para todos, o contexto da vida das pessoas — incluindo situações pessoais e familiares e eventos que impactam a sociedade como problemas climáticos, crises econômicas ou mudanças políticas drásticas — amplia ou reduz as chances de que a adesão aconteça e depois seja cultivada e mantida.

Dependendo do que esteja vivenciando, a pessoa estará mais aberta ou fechada para questões sobrenaturais. Isso vale para os brasileiros das camadas populares e para muitas pessoas, inclusive aquelas que geralmente se identificam como céticas, mas que em momentos de aflição acabam recorrendo a orações, fazem promessas, tomam banho com sal grosso, consultam mães de santo, astrólogos, videntes e fazem jejum e doações para caridade; enfim, dão atenção ao mundo invisível que em situações normais desprezam ou ignoram.

Assim como o livro de Johnson, mencionado no capítulo anterior, este livro apresentará e debaterá aspectos sociais e culturais da religião, sem sugerir que práticas espirituais sejam mistificações da realidade ou que aqueles que adotam essas práticas sejam pessoas manipuladas ou manipuladoras. Ao mesmo tempo, como sou cientista social, minha interpretação do mundo e da realidade parte de uma perspectiva empírica. Cada um dos capítulos deste livro se baseia nos resultados de trabalhos que são também herdeiros dessa tradição analítica que procura regularidades na experiência social para produzir interpretações sobre as relações humanas.

6. Síntese e principais *insights* dos capítulos

Este livro pode ser lido capítulo a capítulo, seguindo a sequência proposta, e também pode ser usado como uma obra de consulta para atender a necessidades pontuais. Consultando o índice, o leitor encontrará "grandes temas" do cristianismo evangélico nas oito partes que compõem a obra — além desta parte introdutória. Cada uma é composta por capítulos curtos que apresentam tópicos relacionados a esses grandes temas.

Aqueles que quiserem aprender sobre temas específicos podem localizar os pontos de interesse e definir seu caminho de leitura encaixando questões relacionadas e/ou complementares que aparecem em partes diferentes. Mas a sequência de partes e de capítulos não é aleatória, de maneira que o leitor pode aproveitar o conteúdo e as reflexões dos capítulos iniciais para entender os capítulos seguintes. Por exemplo, a primeira parte é uma introdução ao protestantismo e às tradições pentecostais e neopentecostais, em geral menos conhecidas, mas cujas igrejas têm hoje maior impacto no cotidiano dos brasileiros, evangélicos ou não, por causa de sua influência política e nos meios de comunicação.

Para o leitor ter uma visão em perspectiva dos assuntos do livro, concluo esta apresentação com um resumo de cada capítulo, na sequência em que estão dispostos, para indicar também as articulações entre as partes e os capítulos que formam a linha narrativa proposta.

PARTE 1. Noções fundamentais — Estes capítulos pavimentam o caminho para os restantes. Primeiro, consideraremos dados quantitativos para ter um panorama demográfico do cristianismo evangélico no país. O Brasil é ainda o país com a maior população católica do planeta, mas quantas pessoas se identificam como evangélicas hoje? Qual a projeção de crescimento dessa população para as próximas décadas? Quais outros dados demográficos importantes existem sobre eles?

Em seguida, ofereço uma reflexão breve sobre o aparecimento do protestantismo no Ocidente, mas em vez de contar a história da Reforma Protestante, vou considerar o que o historiador Alec Ryrie chama de "enamoramento com Deus". Para ele, o que conecta os protestantes ao longo dos séculos é a busca de uma experiência mais pessoal, direta e sentida com a religião, em oposição a práticas mais intelectualizadas e hierarquizadas de relação com o divino.

E se você ficou confuso ao ver o termo "protestante" sendo usado como sinônimo de "evangélico", veremos quais são os limites desse uso. As fronteiras desses conceitos são tênues e disputadas, mas o consenso atual entre os estudiosos posiciona o cristianismo evangélico como um fenômeno recente, mas intrinsecamente parte da história do protestantismo.

PARTE 2. Cristianismo e preconceito de classe — O cristianismo evangélico é, essencialmente, um fenômeno das camadas populares no Brasil — o protestante de classe média prefere ser chamado de "cristão" —, e a maioria dos evangélicos é formada por negros ou pardos e tem em média menos escolaridade do que o restante da sociedade.

Tendo esses dados como ponto de partida, nos capítulos desta parte do livro argumento que a dificuldade que pessoas das camadas média e alta têm para dialogar com evangélicos é também consequência do preconceito de classe que, conforme defende a antropóloga Claudia Fonseca, limita muito o convívio entre ricos e pobres no país. E essa separação se acentua na medida em que o evangélico pobre rejeita o *status* de subordinação em relação ao restante da sociedade. Para a antropóloga americana Susan Harding, a distância entre evangélicos e não evangélicos aumenta considerando que os evangélicos não querem ser vistos como vítimas do sistema e por isso são tratados de forma paternalista como aconteceria, por exemplo, com índios e quilombolas. Muitos querem estudar e ter acesso às mesmas possibilidades de consumo dos setores mais ricos.

PARTE 3. Evangélicos na mídia e mídia evangélica — O cristianismo evangélico existe em muitas versões, e suas consequências são igualmente variadas na sociedade. Um exemplo menos notado das ações dessas igrejas é prover formação musical para jovens fazerem parte dos grupos que tocam durante os cultos. Para algumas organizações, como é o caso dos batistas, o instrumento tradicionalmente usado é o piano; para outras pode ser o violino ou instrumentos de sopro. Essa iniciação musical não raras vezes abre a oportunidade para esses jovens, vindos de famílias sem recursos, chegarem a escolas de música, apoiados financeiramente pela Igreja ou por meio de bolsas de estudo, e a partir desse início desenvolverem carreiras em orquestras sinfônicas. Apesar dessa variedade de desdobramentos relacionados à ação das igrejas evangélicas que repercutem na sociedade, as notícias associadas a elas são quase sempre relacionadas a pautas negativas. Geralmente as notícias destacam casos relacionados ao conservadorismo moral e à intolerância religiosa materializados, por exemplo, nos ataques de evangélicos a representantes de religiões de matriz afro.

Considerando esses motes recorrentes, os capítulos desta seção poderiam estar agrupados na Parte 2, por tratarem do mesmo assunto: como o preconceito de classe dificulta a interlocução de brasileiros das classes média e alta e os evangélicos, geralmente de origem pobre. Mas a relação de empresas de comunicação com igrejas tornou-se um tema à parte em virtude do choque de interesses entre veículos tradicionais de comunicação como a Rede Globo e o jornal *Folha de S. Paulo*, que não têm vínculos declarados com organizações religiosas, e a *Rede Record*, o segundo maior grupo de comunicação do país, controlado pela Igreja Universal.

PARTE 4. Consequências positivas do cristianismo evangélico — Já que o assunto das partes anteriores é a tendência a se falar mal (ou não falar) daquilo que está associado a igrejas evangélicas, os capítulos desta seção apresentam evidências demonstrando efeitos positivos do cristianismo evangélico para seus convertidos.

A igreja evangélica leva para os moradores das periferias aquilo que não chega pelos serviços do Estado. Por meio das igrejas, das redes interligando igrejas e também das redes de solidariedade criadas pelo convívio entre os fiéis, muitas coisas boas são feitas para as pessoas em condições de vulnerabilidade social, e em grande parte esse é o motivo do crescimento acelerado das organizações evangélicas.

Para a família de baixa renda, uma consequência quase imediata da conversão é o fim do alcoolismo do parceiro, e consequentemente o fim da violência doméstica. Esse é um assunto disputado, mas muitos estudos sugerem que a igreja evangélica é um instrumento de empoderamento da mulher popular. Em relação à educação, a conversão motiva o pobre a aprender a ler e a praticar a leitura em seu cotidiano. Um desdobramento desse interesse pela educação é a família querer financiar a ida de filhos para a

Juliano Spyer

universidade, um movimento que tende a abrir caminho para sua ascensão socioeconômica.

Os dois capítulos seguintes tratam de sexualidade. Um deles problematiza a ideia de que o cristão seja necessariamente uma pessoa com a sexualidade reprimida; e o outro toca no tema da homoafetividade e em como evangélicos lidam com isso da porta da igreja para dentro.

A seção termina apresentando a famosa "teologia da prosperidade", noção que ajudou a projetar a Igreja Universal como uma das organizações cristãs que mais crescem no mundo. É verdade que o fiel neopentecostal prospera? E por que essa novidade é tão criticada?

PARTE 5. A religião mais negra do Brasil — Estamos acostumados a associar a negritude no Brasil às religiões de matriz afro como a umbanda e o candomblé, mas essa associação desconsidera dois pontos:

a) O primeiro é que, em termos estatísticos, a religião mais popular entre os afrodescendentes do Brasil não é nem o candomblé nem a umbanda. A maioria da população negra e parda frequenta igrejas evangélicas e tem uma preferência particular pelas igrejas pentecostais como a Assembleia de Deus. Um dos motivos dessa predileção do negro pobre pelo cristianismo de tradição protestante é a busca por ambientes de culto que não o segregassem. Nas igrejas católicas, os ricos deviam acompanhar a missa sentados, e os pobres, geralmente negros, tinham que dar seu lugar e assistir às missas de pé e no fundo das igrejas. No culto evangélico, senta quem chegar primeiro, e isso tem implicações políticas.

b) Mas talvez o *insight* mais polêmico dessa seção sobre a questão racial seja o de que o pentecostalismo tem influências da espiritualidade africana. Historicamente, aliás, o pentecostalismo é o único ramo do cristianismo fundado por um negro. Isso pode ser visto com surpresa por quem apenas enxerga o que existe de diferente e conflitante entre evangélicos e tradições espirituais de matriz afro. Esse dado novo sugere que a tensão entre essas práticas, aparentemente tão distintas, seria resultado também de uma raiz religiosa afro comum às duas tradições.

PARTE 6. Reciclagem de almas — traficantes e cristianismo — A questão racial está quase sempre presente quando falamos sobre criminalidade e encarceramento no Brasil. Mas pouco se fala na grande mídia sobre o papel desempenhado por pastores evangélicos na reabilitação de presos.

Para falar sobre a relação entre traficantes e o cristianismo evangélico nas cadeias, recorro às pesquisas recentes de três cientistas sociais. O sociólogo da religião Andrew Johnson, um norte-americano que estudou a conversão ao cristianismo que acontece dentro das prisões do Rio de Janeiro, argumenta que o cristianismo evangélico fortalece o preso para ele resistir e perseverar em condições desfavoráveis, instigando o sentimento de dignidade e de respeito próprio. A cientista social Christina Vital, autora da etnografia *A Oração do Traficante*, expõe a simplificação e o preconceito do argumento de que o traficante, por ser traficante, não poderia se converter. E aproveito também o estudo do antropólogo Gabriel Feltran sobre o grupo criminoso PCC para observar paralelos — que Johnson também aponta — entre o mundo do tráfico e o das igrejas, como fenômenos que emergem do Brasil popular.

PARTE 7. A esquerda e os evangélicos — Aqui, examino a relação entre cristianismo evangélico e política — especialmente entre pentecostais, neopentecostais e políticos do campo progressista. O evento principal examinado é a campanha de Marcelo

Juliano Spyer

Freixo, candidato derrotado à prefeitura do Rio de Janeiro em 2016. Em uma entrevista para o jornal *El País*, o sociólogo Roberto Dutra questiona o elitismo da campanha de Freixo, que defende ações de inclusão social, mas se comunica com e ganha a aderência principalmente de eleitores das camadas média e alta. Mesmo quando acenou na direção dos eleitores evangélicos, a campanha de Freixo mirava principalmente no protestante histórico, que é minoritário e está mais ligado às camadas média e alta, do que nos pentecostais e neopentecostais de origem pobre.

Considerações Finais — A maior parte deste livro divulga resultados de pesquisas que mostram o evangélico por perspectivas geralmente ignoradas ou desprezadas, principalmente pelos brasileiros com maior acesso à educação superior. Mas nesta parte final mudo o ponto de vista para rever aquilo que pode e deve ser criticado em relação ao fenômeno evangélico no Brasil atual.

A carreira política se torna relevante para religiosos na medida em que as igrejas perdem seu poder de controlar os aspectos morais da sociedade. Nesse contexto a carreira política tem sido uma porta aberta para quem, para prosperar, não tem acesso à infraestrutura educacional das escolas privadas. Fazem isso por oportunismo, mas também seguindo aquilo que entre evangélicos é conhecido como "chamamento". Suas campanhas se baseiam na defesa de pautas de costumes, geralmente se colocando como protetores dos valores da família tradicional; e suas atuações como representantes da população ignoram questões como o combate à corrupção e a defesa da justiça social. Na prática, o que os muitos eleitores evangélicos — majoritariamente negros e pobres — recebem por seus votos é o fortalecimento da repressão policial que afeta especialmente jovens negros pobres.

A atuação da bancada evangélica não agrada uma parte dos eleitores evangélicos, inclusive porque, diferente do que o nome sugere, esses parlamentares parecem falar em nome de toda a comunidade, mas não representam nem receberam os votos de muitos evangélicos. O candidato petista Fernando Haddad, nas eleições presidenciais de 2018, recebeu um terço dos votos dos evangélicos. Mas o crescimento desse grupo parlamentar, que hoje é um dos mais influentes no Planalto, acentua a polarização política e religiosa via um projeto de poder que reduz a tolerância à diversidade, tende a se aliar a grupos da elite conservadora como a bancada da bala e a do boi, e, em nome da defesa dos costumes, não se envolve enquanto grupo na defesa de pautas como o combate à corrupção e ações de combate à pobreza.

Como o protestantismo evangélico é um tema pouco conhecido fora dos círculos específicos de estudiosos da religião, escrevi este livro principalmente para o leitor que quer entender o país em que vivemos, para refletir e responder a dilemas novos, entre eles, a polarização no campo político, a eleição inesperada do ultraconservador Jair Bolsonaro como presidente do Brasil em 2018 e a expansão ao longo das últimas décadas de fenômenos sociais como o crime organizado e o cristianismo evangélico.

Decidi não usar notas de rodapé acompanhando o texto, como ainda é comum em livros com propostas semelhantes às desta obra. Essas marcações interrompem a fluência da leitura, e isso corrói a atenção de leitores que em geral não se importam com detalhes que interessam principalmente a especialistas. A solução para agradar a essas duas audiências foi incluir as referências e comentários complementares no fim do livro, na seção de Notas. Os leitores que precisarem do dado bibliográfico completo podem acessar a área de Notas referente ao capítulo, localizar ali a publicação mencionada e buscá-la a partir do nome do autor na seção de Referências bibliográficas.

PARTE 1:
Noções fundamentais — sobre o que estamos falando

Em resumo, eu vou pregar, ensinar, escrever,
mas não constrangerei ninguém a força,
pois a fé deve vir livremente sem compulsão.

Martinho Lutero

7. Protestantismo

Existem muitas obras que contam a história do protestantismo, desde seu surgimento, momentos particulares, suas raízes judaico-cristãs, suas diversas expressões no início da Era Moderna na Europa ou seus muitos desdobramentos em outras partes do mundo, em lugares diferentes entre si como são a Coreia do Sul e as nações africanas. Mas para o propósito deste livro sobre o cristianismo evangélico no Brasil, vale distinguir aspectos desse movimento que se perpetuaram ao longo dos séculos. Não a sequência, evento a evento, de acontecimentos marcantes, mas o que podemos perceber como regularidades: aquilo que se mantém como fenômeno social nas sociedades em que essa tradição religiosa se estabelece.

Para o historiador e teólogo inglês Alec Ryrie, a história do protestantismo é a história da redescoberta do enamoramento do cristão ocidental com Deus. Desde a Reforma Protestante na Alemanha do século 16, esse sentimento de amor aflora, e a consequência desse enamoramento são revoltas de setores subalternos e com pouca educação formal contra as elites profissionais que controlam as instituições religiosas. Tendo como referência essa característica original do protestantismo, Ryrie explica como, nos últimos 500 anos, periodicamente "homens e mulheres autodidatas se impõem contra o sacerdócio do conhecimento que serve e satisfaz a si próprio".

Juliano Spyer

O argumento de Ryrie é o de que a história do protestantismo é marcada por eventos e situações em que segmentos das camadas baixas da sociedade reagem contra elites religiosas e seu domínio político, fundamentados no controle da doutrina. Esta certamente não é a única maneira de examinar as consequências do protestantismo na sociedade, mas é a que me ajudou a interpretar evidências colhidas durante minha pesquisa de campo na Bahia e também a interligar as diversas pesquisas que serão apresentadas nos capítulos seguintes. Por isso, este é o ponto de partida do livro.

Segundo Ryrie, uma característica distintiva do protestantismo tem sido o ataque recorrente a quem pretende controlar, institucionalizar e regulamentar a relação das pessoas com a divindade. Os protestantes acusam líderes religiosos de burocratizar e intelectualizar a relação com o divino, colocando-se como intermediários de Deus, e o remédio para isso é rejeitar e contestar as organizações que assumem essa atitude para retomar um contato mais direto e íntimo com Deus. Esse contato, que se opõe a uma espiritualidade mais regrada, erudita e hierarquizante, é associado à experiência afetiva e mística da religião.

Nos primeiros séculos, o alvo dessa rebeldia protestante foi a Igreja Católica, mas quando a fase aguda de confrontos com o catolicismo arrefeceu, o adversário deste ramo novo do cristianismo foi mudando. O protestantismo estaria, segundo Ryrie, periodicamente se rebelando contra suas versões anteriores. Por isso, o luteranismo revolucionário e contestador de 1520 torna-se o elemento conservador na Inglaterra de 1640, época do surgimento das igrejas Batista e dos Quakers. Estas, por sua vez, já estão incorporadas à sociedade pós-revolucionária nos Estados Unidos, quando surgem movimentos revivalistas incluindo, por exemplo, os metodistas. Adventistas do Sétimo Dia, Testemunhas de Jeová, e mais recentemente pentecostais e neopentecostais reproduzem esse movimento de contestação para retomar a experiência do enamoramento com Deus.

POVO DE DEUS

Com base na imagem a seguir — a árvore do protestantismo —, percebemos, em vez de um mundo evangélico homogêneo, a existência de um terreno simbólico fértil e disputado no qual periodicamente representantes de igrejas estabelecidas se rebelam e se apresentam como os verdadeiros representantes da chama divina, aqueles que vivem o "fogo" da religião.

A parte de baixo da árvore, onde estão os protestantes históricos, é a mais conhecida, apesar de sua criação estar ligada a eventos mais longínquos no tempo. O advento do protestantismo em oposição ao monopólio católico no século 16 é percebido por historiadores como um fenômeno social importante, que faz parte dos currículos escolares. Por isso, a ênfase deste livro será dada ao pentecostalismo, uma ramificação relativamente nova do protestantismo, pouco ou nada presente nos livros escolares, mas que tem uma importância monumental no Brasil (e em muitos outros países) a partir do século 20.

Na introdução, falei sobre como, para muitos intelectuais e formadores de opinião no Brasil, o cristianismo evangélico tem apenas dois perfis: o do pobre fanático e o do rico manipulador de mentes. É útil, portanto, destacar exemplos para indicar como o universo protestante é vasto e diverso em termos de valores e práticas.

Algumas igrejas têm cultos mais reflexivos, e a participação dos fiéis é reservada a momentos específicos. Em outras eles são agitados fisicamente e emotivos, e faz parte da cerimônia ter um elemento de improvisação contínuo no relacionamento entre o pastor e os presentes. A moralidade também pode variar, segundo a igreja, por um espectro amplo que vai do extremo conservador ao liberalismo radical. Mesmo em relação a dinheiro, as organizações protestantes têm perspectivas muito particulares. Em algumas, o pastor é remunerado, em outras, como é o caso da pentecostal Congregação Cristã no Brasil, todo o trabalho para a igreja é voluntário. Entre as tradições que decidiram remunerar os pastores, algumas estabelecem um teto para esse salário, e o pastor costuma exercer uma profissão para complementar sua

A "ÁRVORE DO PROTESTANTISMO" REGISTRA ESSE PROCESSO CONTÍNUO DE SURGIMENTO DE IGREJAS NOVAS E OS VÁRIOS MOMENTOS (OU "ONDAS") ASSOCIADOS A ESSE FENÔMENO.

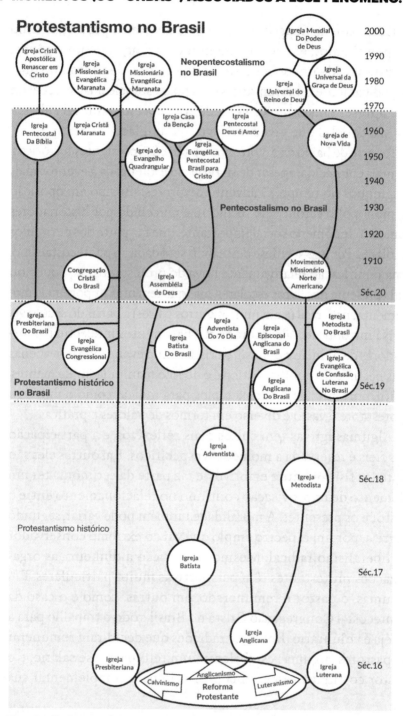

Pesquisa: Dados retirados originalmente do Dossiê Evangélicos no Brasil da *Revista de História do Museu Nacional*, edição de dezembro de 2012, pp. 22-23

renda; mas em outros casos a remuneração do pastor pode ser proporcional ao valor total do dízimo recolhido mensalmente e por isso pode corresponder ao salário de um alto executivo.

A diversidade do protestantismo no Brasil também pode ser examinada a partir de etapas relacionadas a populações distintas. No século 19 e no início do 20 os estados do Sudeste e Sul receberam levas de imigrantes europeus, muitos deles protestantes. É principalmente no Sul que igrejas luteranas continuam a funcionar nas áreas com concentração de descendentes de alemães. O rompimento do monopólio religioso do catolicismo depois da independência do Brasil abriu gradualmente as portas do país para levas de missionários, muitos deles ingleses e americanos, que se estabeleceram entre as camadas médias e as elites educadas. A chegada do pentecostalismo, na primeira década do século 20, se dá pela fundação da Congregação Cristã no Brasil no Sudeste, e da Assembleia de Deus no Norte. Pelos motivos que veremos a seguir, diferentemente dos protestantes históricos, o pentecostalismo se enraíza sobretudo entre pessoas de origem pobre.

Essa diversidade também pode ser observada em termos globais. Até hoje, nos livros de História, a Reforma é tratada como um movimento associado principalmente à Europa e a algumas colônias europeias, em especial os Estados Unidos. Mas esse fenômeno religioso se expandiu com rapidez desde o século 20 pela Ásia, Oceania, África e América Latina, o que leva especialistas a concluir que hoje o protestantismo deixou de ser um fenômeno ocidental. Aliás, alguns estudiosos argumentam, sobre a internacionalização do cristianismo, que ele foi incorporado em grande parte do mundo não ocidental como uma religião nativa, a "nossa religião", da mesma forma como o cristianismo se tornou nativo para a Europa tendo vindo do Oriente Médio.

A mesma diversidade ainda pode ser vista na variedade das pessoas que pertencem a essa tradição religiosa. A lista inclui nomes internacionais como o líder sul-africano Nelson Mandela

(1918-2013), o ex-presidente norte-americano Barack Obama, a chanceler alemã Angela Merkel, o empresário Bill Gates, o nadador e campeão olímpico Michael Phelps e o jogador de futebol David Beckham. No Brasil, os mais conhecidos são "atletas de Cristo", como os ex-jogadores Kaká, Taffarel e Rivaldo; pastores empresários como o bispo Edir Macedo; a ex-ministra, líder seringueira e ex-candidata à presidência Marina Silva; e artistas populares, como a ex-dançarina Globeleza Valéria Valenssa.

Antes de mergulhar de vez no mundo evangélico atual, vale a pena dar alguns passos para trás e considerar, mesmo rapidamente, em que medida os termos "protestante" e "evangélico" podem ser usados um como sinônimo do outro. Farei isso examinando as duas tradições principais do protestantismo, particularmente o pentecostalismo, o principal responsável pela expansão protestante que o Brasil atravessa. De onde ele veio? Quais suas inovações em relação ao protestantismo histórico? Por que ele atrai principalmente brasileiros pobres e com baixa escolaridade? Em que medida, quando usamos o termo "evangélico", estamos geralmente nos referindo a pentecostais?

8. Protestante ou evangélico? Qual a diferença?

Palavras e conceitos são criados, esquecidos e mudam de sentido ao longo da história. No livro *Emília no País da Gramática*, Monteiro Lobato (1882-1948), o autor, compara esse processo com a vida nas cidades. As palavras estabelecidas habitam os bairros nobres, as gírias vivem nas periferias, e as que deixam de ser usadas correntemente vão para os cemitérios de palavras. Essa transformação constante de significados se aplica aos termos "protestante" e "evangélico", cujos usos tiveram sentidos distintos ao longo da história e hoje estão emaranhados.

POVO DE DEUS

Conforme veremos adiante, a interpretação corrente posiciona o cristão evangélico — inclusive o pentecostal e o neopentecostal — dentro da tradição do protestantismo. Mas se por um lado o evangélico é também um protestante, por outro, dentro do uso cotidiano, ser evangélico pode ter um significado diferente de ser protestante. Por isso, os pesquisadores do *think tank* americano Pew Research Center distinguem uma linhagem denominada "protestantes históricos" dos grupos mais recentes, chamados de "protestantes evangélicos".

O estudo do Pew Research sobre o panorama religioso nos Estados Unidos indica as diferenças demográficas entre esses dois grupos. Por exemplo: um em cada quatro americanos se identifica como evangélico. Eles estão concentrados na área chamada "Cinturão Bíblico", localizada na região sudeste e historicamente mais agrícola do país. Em comparação com os históricos, que estão principalmente no nordeste industrializado americano, os evangélicos têm em geral menos anos de educação formal e dão maior importância a Deus e à Igreja. Uns e outros são predominantemente brancos, só que o número de evangélicos está crescendo entre negros e latinos. Mas, além dos dados estatísticos, o que quer dizer ser evangélico ou protestante?

Nos anos 2000, o programa *Frontline*, da rede de TV educativa dos Estados Unidos, a PBS, pediu a intelectuais e representantes de grupos religiosos para explicarem a diferença entre os termos "protestante histórico" e "protestante evangélico".

A contribuição mais longa e detalhada apresentada pela PBS foi a do escritor John Green. Ele apontou quatro aspectos principais que, apesar das sobreposições de significado desses termos, distinguem particularidades entre os dois:

a) Evangélicos acreditam que a Bíblia representa a palavra absoluta de Deus. Protestantes históricos entendem que a Bíblia foi sendo criada ao longo dos séculos pela intermediação de

pessoas — tradutores, teólogos e políticos — e por isso deve ser lida, não literalmente, mas filtrada por esse entendimento.
b) Protestantes evangélicos acreditam que Jesus Cristo é o único salvador que existe no mundo; mas protestantes históricos aceitam, de forma mais racional, que pessoas de tradições culturais diferentes possam encontrar a salvação por outros caminhos.
c) Evangélicos entendem que, para ser salva, a pessoa precisa "renascer em Cristo", ou seja, ser batizada por sua própria vontade. Históricos também relativizam essa regra entendendo que as pessoas podem se beneficiar da experiência espiritual dentro da Igreja mesmo quando escolhem não passar pelo rito do batismo.
d) E finalmente evangélicos consideram que, para serem cristãos, devem ajudar a evangelizar, levando a palavra de Deus para as pessoas com quem convivem. Protestantes históricos, por sua vez, entendem que isso não precisa ser uma obrigação de quem frequenta a igreja.

No uso cotidiano, a confusão que existe em relação a esses dois temas vem da maneira como os termos "protestante histórico" e "protestante evangélico" foram simplificados: o primeiro costuma ser chamado apenas de "protestante", e o segundo de "evangélico", mas ambos são protestantes.

Hoje, algumas igrejas evangélicas são donas de meios de comunicação, e pastores bem-sucedidos concorrem com executivos de multinacionais no tamanho de suas contas bancárias e no acesso a produtos de luxo. Apesar de ainda serem pouco presentes em bairros de classe média e alta, igrejas protestantes evangélicas, inclusive pentecostais e neopentecostais, hoje têm entre seus membros pessoas com títulos universitários e carreiras profissionais, mas essa popularização aconteceu apenas nas últimas décadas.

No Brasil, historicamente, o crente era um personagem dos bairros pobres das cidades. A imagem que vem à mente é a do casal:

ele, vestido com o terno surrado; ela, com a saia abaixo do joelho, demonstrando sua dignidade e fé religiosa na austeridade com que se vestiam e se comportavam. Nesse contexto, percebemos como o termo evangélico pode ser usado informalmente para se referir ao protestante pobre; e aquele que é chamado apenas de protestante é, geralmente, das camadas média e alta e rejeita a classificação de "crente" ou mesmo de "evangélico", preferindo se identificar como "cristão".

Essa síntese aponta na mesma direção dos argumentos de Richard Cizik, da Associação Nacional dos Evangélicos (NAE), dos Estados Unidos, que associa o crescimento do movimento evangélico a transformações que impactam negativamente a vida de pessoas. Cizik explica que as igrejas evangélicas estão crescendo por oferecerem "certezas morais em um mundo sem certezas". Segundo esse argumento, a moral conservadora das igrejas evangélicas tocaria especialmente as pessoas nas camadas socioeconômicas mais vulneráveis, mas não apenas elas. Segundo Cizik, muitas pessoas, por motivos diferentes, se percebem vivendo em um mundo "louco e confuso" (em termos de novas influências culturais e flutuações econômicas, por exemplo), e por isso buscam referência moral que lhes dê segurança.

Nesse contexto, as igrejas evangélicas "combinam [visões conservadoras] com música e formas de adoração contemporâneas". É esse o motivo, segundo ele, de as igrejas protestantes históricas estarem perdendo a relevância e as protestantes evangélicas não pararem de crescer.

Entretanto, na prática ainda é confuso encontrar as fronteiras entre tradições e ramos do protestantismo que estão associados. Modelos novos que surgem levam consigo algumas práticas e regras quando se tornam dissidências de igrejas estabelecidas. Como veremos adiante, os fundadores da Assembleia de Deus eram missionários suecos ligados à Igreja Batista que chegaram ao Brasil vindos dos Estados Unidos. Se para quem vê de fora é relativamente simples usar o termo evangélico para fazer referência a movimentos recentes, essa fronteira fica confusa para quem está dentro. Batistas ou metodistas, por exemplo, mesmo pertencendo ao protestantismo histórico, especialmente nas camadas mais pobres frequentemente se referem a si mesmos como evangélicos ou crentes.

No Brasil, a diferença entre esses dois termos pode estar associada, inclusive, ao contexto particular de implantação das igrejas em locais diferentes do país. Em geral, nas regiões do país onde a presença europeia trouxe igrejas protestantes históricas, os termos "crente" e "evangélico" se aplicam apenas aos membros das igrejas pentecostais e neopentecostais. Mas, nas periferias urbanas em geral, inclusive nos estados do Sul, prevalece o uso de "crente" e "evangélico" mesmo para as pessoas que fazem parte das igrejas protestantes históricas, como a Presbiteriana e a Batista.

Outro aspecto da classificação de "protestante" é que, muitas vezes, quando alguém usa o termo "evangélico" está se referindo a pentecostais ou neopentecostais, mas esse também não é um substituto preciso para o termo evangélico, porque é muito restritivo. Como veremos a seguir, existem igrejas híbridas, originárias do protestantismo histórico, mas que atravessaram um processo de "avivamento" e incorporaram alguns valores, ideias e práticas pentecostais. Elas deixaram de ser protestantes históricas, mas não fazem parte da tradição pentecostal clássica.

Por todos esses motivos, o termo evangélico é usado neste livro como sinônimo de protestante e pode incluir protestantes históricos e pentecostais, os dois subgrupos apresentados a seguir. Quando houver necessidade de fazer referência a uma tradição, será usado o termo específico, mas nos outros casos, optei por seguir a maneira como a maioria desses religiosos se identifica, referindo-se a si e a seus pares apenas como "evangélicos" ou "crentes".

9. Protestantes históricos: intelectualizados e discretos

"Protestantes históricos", como o nome diz, se refere aos cristãos pertencentes a igrejas surgidas como desdobramento mais imediato da Reforma Protestante a partir do século 16, como é o caso das igrejas Luterana, Batista, Presbiteriana, Metodista, Episcopal e outras. Seguindo a tradição reformista e questionadora de líderes protestantes como Martinho Lutero e João Calvino, essas igrejas inicialmente surgiram, se desenvolveram e evoluíram em um contexto de oposição ao catolicismo. Em países como a França, essa tensão produziu, além de muita violência, um ambiente de instabilidade política que atravessou os séculos 17 e 18.

Do ponto de vista estético, a oposição ao catolicismo aparece, por exemplo, na diferença entre a arquitetura mais imponente e exuberante dos templos católicos em comparação com as construções, geralmente menores e visualmente modestas, dos protestantes, onde não há esculturas ou pinturas de santos, mas paredes lisas e imagens apenas de Cristo. Isto ocorre porque, segundo a interpretação protestante dos Dez Mandamentos, a Bíblia proíbe a idolatria, e isso se aplica aos chamados mártires ou santos. Para esse protestante, o foco da experiência religiosa deve ser o próprio cristão, seu contato particular com Deus mediado pela leitura e interpretação da Bíblia, e pelo trabalho de cumprir a vontade de Deus sendo parte das ações evangelizadoras. O espaço de culto, portanto, não deve distrair o fiel desse propósito.

Hoje, nessa tradição, o pastor tem curso superior em Teologia, e suas pregações tendem a ser mais filosóficas, racionais e elaboradas. Apesar da atuação do pastor na igreja ser geralmente entendida como trabalho que deve ser remunerado, o "chamado" ao pastoreio não se torna necessariamente uma ocupação exclusiva. Por isso, a remuneração do pastor das igrejas protestantes históricas tende a ser modesta, e ele ou ela tem uma profissão ou trabalho fora da igreja para complementar sua renda. Há, nesse sentido, uma percepção de que sua atuação como religioso não deve ser vista como uma carreira que atrai pessoas pela boa remuneração.

As igrejas protestantes históricas foram as primeiras a se estabelecer no Brasil, desde meados do século 19. E a conduta desses cristãos em relação ao pentecostalismo geralmente expressa um distanciamento educado. O pentecostal seria como um primo pobre do interior, encantado pela descoberta da Bíblia, e que acaba usando-a de maneira improvisada e grosseira, porque não tem a sofisticação do conhecimento teológico, não conhece a história, não teve treinamento intelectual, e apesar disso se vê no direito de abrir igrejas e "pastorear rebanhos". É a impressão que fica, por exemplo, quando encontramos artigos publicados por teólogos ligados ao protestantismo histórico, com a proposta de analisar o "protestantismo no Brasil", mas fazem isso sem mencionar o pentecostalismo.

10. Pentecostais: dignidade moral e fé

O movimento pentecostal chegou ao Brasil já no início do século 20, com a fundação da Congregação Cristã no Brasil e da Assembleia de Deus. Ambas cresceram e se espalharam, principalmente nos bairros periféricos das cidades, e são hoje forças importantes entre as organizações evangélicas que atuam no país. Suas características originalmente são a disciplina em relação à vivência do texto bíblico, uma postura modesta e a incorporação de aspectos sobrenaturais à experiência religiosa.

O termo "pentecostalismo" faz referência ao dia de Pentecostes, uma festa de tradição judaica relacionada à colheita que, no calendário cristão, marca um período após a ressurreição de Cristo quando o Espírito Santo desceu à Terra. Segundo o livro de Atos dos Apóstolos, no Novo Testamento, os discípulos — incluindo viajantes de outras partes do mundo como Mesopotâmia e Egito — reunidos para o Pentecostes, ficaram "cheios do Espírito Santo" ao serem tocados por "línguas de fogo". Os participantes ficaram perplexos ao serem capazes de ouvir "as grandezas de Deus", cada um em sua língua. No capítulo 29 será apresentada a história do surgimento desse movimento, fundado por negros, em uma igreja abandonada de Los Angeles, nos Estados Unidos. Mas as referências acima ajudam a entender as características dos pentecostais em relação à visão de mundo, escolhas morais e práticas religiosas.

Trata-se de "um movimento popular desde sua origem, com a forte participação dos pobres e socialmente excluídos", explica o sociólogo da religião David Martin. Não por acaso ela se espalhou rapidamente dos Estados Unidos para países pobres da América Latina, do Leste Europeu, da Ásia e da África. Sobre isso, Martin ressalta que essa expansão do pentecostalismo por regiões pobres não se deu por iniciativa ou influência dos Estados Unidos, mas foi impulsionada por fatores locais; e que na América Latina o pentecostalismo teve um apelo particular para as populações marginalizadas.

Martin afirma que essa é uma religião "pregada em linguagem simples com exemplos simples por pessoas simples para pessoas simples". Não causa surpresa, portanto, que quase um terço dos pentecostais brasileiros viva em situação de pobreza aguda, com renda familiar *per capta* de até um salário mínimo, e sejam predominantemente (60%) negros ou pardos. Martin também avalia que o pentecostalismo é um fenômeno modernizante e que tem o potencial para elevar os pobres à classe média.

O apelo do pentecostalismo vem de sua capacidade de reduzir o impacto da desigualdade em contextos de instabilidade econômica, violência urbana, ausência de serviços governamentais básicos, associada ainda ao consumo de álcool e outras drogas ilícitas, principalmente desde a segunda metade do século 20, quando milhares de trabalhadores rurais analfabetos se transferiram do interior do Nordeste para as periferias urbanas do Brasil e, fazendo isso, se distanciaram fisicamente de redes de ajuda mútua dentro dos espaços familiares.

Como se vê ao longo do livro, uma das características dessas igrejas é proporcionar uma nova rede de relacionamentos a esses migrantes. Mas conforme avalia o sociólogo Ricardo Mariano, o preço pago em troca do conforto espiritual e da certeza da salvação na comunidade dos eleitos é alto. Por terem que se conduzir na sociedade em conformidade com os novos deveres ascéticos e sectários, eles acabam criando para si verdadeiros "monastérios" dentro das igrejas e das casas. A moral religiosa se torna uma camisa de força que protege do mundo das privações e das drogas baratas, e ao mesmo tempo distancia o fiel de ambientes de socialização como os bares e mesmo do contato com familiares que não sejam crentes.

A conversão também traz para o evangélico novas pressões dentro e fora da igreja. Dentro, o cristão vive a expectativa de melhorar sua condição de vida no ambiente competitivo e individualista das congregações. Fora, o evangélico é vigiado por sua conduta moral e é criticado por atitudes vistas como normais para outras pessoas. Durante uma conversa, um jovem evangélico desabafou comigo sobre essa "perseguição" da sociedade. Ele não podia ter uma discussão com seu irmão dentro de casa, porque os vizinhos escutavam e espalhavam fofocas colocando em dúvida se sua conversão era mesmo verdadeira.

Em relação à sua compreensão do mundo, o professor Marcos Alvito, do Departamento de História da UFF, explica que o pentecostal tende a perceber seu lugar na sociedade a partir de uma oposição binária entre "mundo" e "igreja". "O 'mundo' é o espaço do pecado, da violência, do vício da bebida ou da droga, do sofrimento cotidiano, do Mal. Quem governa o 'mundo' é o Diabo, uma figura central no culto pentecostal, continuamente evocada para explicar as dificuldades, agruras e tragédias vividas pelos fiéis. O Diabo estaria sempre à espreita, tentando desviar o fiel do caminho de Deus, criando-lhe problemas para enfraquecer sua fé. Deus governa a 'igreja'... Os cultos pentecostais representam uma verdadeira dramatização desta contínua batalha entre o Bem e o Mal, entre Deus e o Diabo." E ele continua: "Em um mundo hostil, complexo, em que a velocidade das mudanças é tremenda, em que tudo parece ser posto em xeque e relativizado, a chave binária pentecostal é eficiente e tranquilizadora".

A historiadora Olívia Dias, que também é evangélica, aprofunda essa ideia da "chave binária" argumentando que as consequências das escolhas na vida são mais duras para o pobre. "Uma adolescente rica ficar grávida numa festinha tem um peso, uma [adolescente] pobre ficar grávida no [festa] paredão tem outro peso. Uma mulher com nível superior, empregada e com casa própria ser abandonada pelo marido tem um peso, para a pobre tem outro." Para ela, a divisão do mundo entre bem e mal resulta das tensões cotidianas vividas nas periferias do país. O uso ou comércio de substancias ilegais, por exemplo, provocará consequências profundas para quem não tem acesso a advogados particulares nem prisões especiais reservadas para quem tem curso universitário. Por isso Olívia descreve a experiência da detenção para o pobre como um encontro com "o demônio".

Outra característica marcante é o aspecto sobrenatural da experiência religiosa pentecostal. Conforme descreveu o antropólogo Ricardo Mariano, o pentecostal entende que Deus está presente "curando enfermos, expulsando demônios, distribuindo bênçãos e dons espirituais, realizando milagres, dialogando com seus servos, concedendo infinitas amostras concretas de Seu supremo poder e inigualável bondade". Essa teologia evoca o Jesus que salva, que cura e que retornará à Terra.

Em relação à oferta de cura nas igrejas, um aspecto característico do pentecostalismo é não desprezar e, ao contrário, levar a sério crenças locais e se posicionar como detentora de um poder que combate o mal produzido por essas outras religiosidades. Uma pesquisa conduzida em Trinidad y Tobago pelo antropólogo americano Stephen Glazier registra que um atrativo para a adoção do pentecostalismo é combater os efeitos do mau-olhado e a ação de espíritos maus nas pessoas. Os pentecostais se afirmaram como intermediários de um poder superior — inclusive ao de outros grupos protestantes — para combater demônios e feitiços pagãos. Esse aspecto do pentecostalismo de prover proteção contra feitiços aparece no documentário *Santo Forte* (Eduardo Coutinho, 1999), disponível no YouTube.

11. Avivamento protestante e católicos carismáticos

Conforme visto no capítulo anterior, um elemento diferenciador do pentecostalismo é que seus cultos são movimentados, vibrantes e emotivos. Inovações como essas trouxeram força nova para o movimento protestante, e essa energia se espalhou para além do próprio pentecostalismo, influenciando alguns protestantes históricos e também, mais recentemente, o catolicismo, do qual surge o grupo dos católicos carismáticos.

Mesmo entre os pentecostais, estudiosos identificaram um desdobramento dentro dessa tradição que passou a ser chamada de neopentecostalismo. Mas essa é uma categoria analítica criada por estudiosos; o próprio evangélico não distingue claramente as diferenças entre pentecostal e neopentecostal, até mesmo pela grande variedade de igrejas que são criadas a partir da mescla de referências anteriores e da visão de cada pastor.

As organizações protestantes históricas recusam o estilo energético e emotivo dos cultos pentecostais; dizem que é magia. Mas a concorrência pentecostal estimulou uma parte dos protestantes históricos a "avivar" ou "reavivar" suas congregações para trazer de volta o ardor espiritual dos congregantes e reverter a tendência de perda de adeptos para as igrejas pentecostais. Segundo a *Encyclopaedia Britannica*, os termos "reavivamento" ou apenas "avivamento" se referem à promoção de "um sentimento renovado de fervor dentro de um grupo, igreja ou comunidade cristã".

Na prática, igrejas individuais na tradição histórica podem gradualmente promover a ruptura com a organização principal. Assim, os fiéis realizam mudanças que incluem a incorporação de práticas pentecostais e técnicas de gestão profissionais para ampliar o número de adeptos. Esse conjunto de igrejas avivadas continua, como os pentecostais, debaixo do guarda-chuva do protestantismo. Como os outros representantes do protestantismo, essas igrejas avivadas não estão ligadas ao Vaticano e não são adornadas nem incluem referências a santos ou mártires, ao contrário do que faz o catolicismo.

Do lado dos católicos, por motivos semelhantes, alguns padres adotam a prática das missas cantadas. Entre os expoentes desse grupo no Brasil estão os padres cantores Marcelo Rossi, Fábio de Melo, Reginaldo Manzotti, João Carlos e Antônio Maria, todos ligados à Renovação Carismática Católica.

Esses grupos religiosos estão entre os maiores, numericamente, e mais influentes no mundo. Uma pesquisa feita no início dos anos 2000 aponta que, na época, cerca de 600 milhões de cristãos eram pentecostais ou frequentavam igrejas — protestantes e católicas — cujas práticas haviam sido "reavivadas" a partir de referências pentecostais.

A concorrência do pentecostalismo não facilita o convício entre eles e protestantes históricos. O pentecostal não menospreza a erudição do protestante histórico; mas, conforme explica o pastor batista Claudio Moura, os teólogos pentecostais entendem avivamento de maneira parcial, associando a experiência do avivamento àquilo produzido apenas pelo pentecostalismo.

Avivamento no sentido pentecostal inclui "um mover do espírito por meio da manifestação carismática", que se expressa por maneiras corporais de louvar (dançando, cantando) e pelo "falar em línguas" durante os cultos. Moura argumenta que pentecostais desprezam o avivamento como um elemento comum na história do protestantismo, e usam a característica do avivamento para menosprezar quem não é pentecostal. Eles contrapõem sua forma de avivamento ao "intelectualismo" do protestante histórico caracterizado pela "frieza da letra" escrita. A comparação entre o "calor carismático" e a "frieza da letra" se torna uma crítica velada às práticas espirituais tradicionais.

Protestantes históricos, por sua vez, desdenham da falta de formação intelectual de pastores pentecostais, cujo treinamento em Teologia costuma ser avaliado como precário. É verdade que as maiores igrejas pentecostais hoje investem mais na formação de pastores; mas em muitos casos ainda qualquer indivíduo pode se tornar pastor ou pregador pentecostal, criar sua igreja e fazer interpretações dos textos sagrados sem conhecer aspectos linguísticos, históricos e filosóficos úteis para a interpretação de passagens bíblicas.

12. Neopentecostalismo: disciplina leva ao sucesso

Nos capítulos anteriores foi estabelecida uma classificação que divide o mundo protestante em igrejas protestantes históricas e igrejas protestantes pentecostais. Nesse sentido, este capítulo poderia fazer parte do anterior, considerando que "neopentecostalismo" é um termo analítico que geralmente não é usado entre os evangélicos. Mas essa nova classificação ajuda a identificar um grupo que ganhou importância muito rapidamente no Brasil.

O neopentecostalismo aparece nos Estados Unidos em meados do século 20 e chega pouco depois ao Brasil. Sua principal organização aqui é a Igreja Universal do Reino de Deus. Tendo se desenvolvido a partir dos caminhos abertos pela referência moral e pelas práticas do pentecostalismo, esse movimento funde a ideia do culto exuberante, emocional e interativo com uma lógica meritocrática mais explícita e de busca do sucesso material. São eles que professam a chamada "teologia da prosperidade" (assunto do capítulo 26), que gera desconforto fora e também dentro dos outros círculos evangélicos.

Por ora, é suficiente explicar que a partir das conclusões do sociólogo Ricardo Mariano, a teologia da prosperidade não é o mesmo que a ética clássica protestante, na qual o fiel melhora de vida do ponto de vista econômico por uma conduta metódica no trabalho. Para o neopentecostal, a conversão e a adoção da prática religiosa são recompensadas por Deus via ascensão financeira. No primeiro caso, o fiel é estimulado a agir metodicamente em relação ao trabalho; e a consequência disso, muitas vezes, é a prosperidade. No caso dos neopentecostais, há uma expectativa de recompensa como consequência da conversão. Em vez de promover a dedicação metódica ao trabalho, o neopentecostal é estimulado a atuar de maneira empreendedora para enfrentar as adversidades da vida.

Essa visão empreendedora aparece no discurso que promete melhora de vida aos convertidos, e na prática de como a igreja é gerida como uma empresa. O discurso motivacional é aplicado aos fiéis, mas serve também aos que trabalham para a organização. Levar a Palavra de Deus é uma missão divina que recompensa aquele que se entrega a ela, com a salvação na vida futura no Paraíso, mas também na vida presente na Terra. Paralelamente a isso, o neopentecostalismo das organizações fundadas no Brasil, em especial a Igreja Universal, também profissionalizou o trabalho missionário fora do país. Esse movimento agora cresce principalmente na América Latina e na África, mas está presente em muitos países, inclusive na América do Norte e na Europa.

Por terem práticas que agridem a herança católica brasileira, como a associação do legado de Jesus ao enriquecimento, os neopentecostais costumam ser questionados e atacados por outros evangélicos e também por não evangélicos. Frequentemente esse fiel é descrito como alienado, sem capacidade crítica e que por isso foi manipulado a entrar para a igreja para ser mais um pagador de dízimo. Mas estudos recentes questionam essa visão sobre a ingenuidade do neopentecostal. Os trabalhos da antropóloga Diana Lima concluem que o público neopentecostal percebe criticamente a organização da igreja e seus líderes e sabe retirar da igreja aquilo que ele entende que poderá beneficiá-lo, especialmente a motivação para trabalhar e prosperar.

Se o pentecostal se orgulha de manter uma disciplina moral, para o neopentecostal esse autocontrole inclui também a maneira de lidar com aspectos profissionais de sua existência, tendo em vista atingir a prosperidade socioeconômica e melhorar sua qualidade de vida. Essa é, pelo menos, a maneira mais fria e distante como os acadêmicos descrevem as diferenças entre pentecostais e neopentecostais. Mas de modo informal, jovens evangélicos interpretam literalmente o prefixo "neo" como novo. Para eles, a igreja neopentecostal é uma alternativa *"light"* ou modernizada à moral rígida do pentecostalismo. O jovem pode buscar nas igrejas neopentecostais e neocarismáticas, como a Igreja Universal do Reino de Deus, a Igreja Batista da Lagoinha, a Bola de Neve Church e a Igreja Renascer em Cristo, ambientes mais receptivos em relação ao consumo de música *pop*, limitações para o namoro, ou ao uso de roupas da moda, fora da austeridade promovida por igrejas como a Assembleia de Deus.

O sucesso das igrejas neopentecostais causa desconforto nos evangélicos de outras tradições, mas seu sucesso também está influenciando o mundo cristão como um todo. A apropriação de técnicas e valores corporativos para gerir igrejas produz efeitos contraditórios entre evangélicos que pertencem a organizações diferentes. Os batistas, por exemplo, geralmente são críticos à ideia de a igreja ser tratada como um negócio lucrativo e que a bandeira usada para atrair novos fiéis seja a promessa de ganhos materiais. Ao mesmo tempo, eles vêm reconhecendo o crescimento rápido de organizações pentecostais e neopentecostais nas últimas décadas, e isso influenciou a maneira como essa organização religiosa percebe a atividade evangelizadora. Por exemplo, antes, entre os batistas, o processo de convidar pessoas para conhecer a igreja acontecia em geral informalmente a partir de vínculos já existentes de relacionamento. Um amigo da escola ou uma colega do trabalho poderia estar vivendo uma situação difícil na vida e por isso ser convidado(a) a participar de um culto. Hoje, muitas igrejas batistas buscam novas soluções para atrair pessoas para o culto de maneira sistemática, por exemplo, a partir de grupos organizados de voluntários que visitam sistematicamente as ruas do bairro onde cada igreja batista está localizada.

Um fenômeno similar — de tensão produzindo assimilação — acontece em organizações pentecostais que inicialmente se distinguiam pela rigidez moral. Possivelmente jovens pentecostais, identificados com valores modernos e desejos de consumo semelhantes aos de seus pares nas escolas e vizinhanças, pressionam os líderes de suas congregações a incorporar a ideia neopentecostal de que a conversão religiosa leva à prosperidade. Isso explica por que na Assembleia de Deus que frequentei durante a pesquisa de campo, fiéis compareciam aos cultos com roupas caras e vistosas, e muitos preferiam ir de carro para a igreja — apesar da distância curta do trajeto — para exibir suas conquistas atestando as "bênçãos" atingidas e que dão testemunho de sua fidelidade e dedicação a Deus.

PARTE 2:
Cristianismo e preconceito de classe

Vocês pensam que vim trazer paz à Terra?
Não, eu digo a vocês. Ao contrário,
vim trazer divisão!

Lucas 12:51

13. A presença evangélica no Brasil em números

O cristianismo chegou ao Brasil nos anos iniciais do período colonial português nas Américas por meio de missionários jesuítas, uma ordem católica. Durante os séculos seguintes o catolicismo foi parte intrínseca do esforço colonizador, principalmente pela catequização de indígenas, e permaneceu como a religião oficial do Brasil até o fim do século 19. Esse *status* do catolicismo se traduzia em perseguição a outros tipos de religiosidade. Do ponto de vista espiritual, durante seus primeiros 400 anos o Brasil foi monopolizado pelo Vaticano, mas a partir do século 19 imigrantes de outros continentes e missionários começaram a estabelecer casas de culto protestantes, no início apenas abertas para estrangeiros, mas gradualmente foram se tornando acessíveis também aos brasileiros.

A abertura do país para outras igrejas não mudou rapidamente a proporção de católicos na população. Durante quase um século, entre a segunda metade do século 19 e a primeira metade do 20, o crescimento do protestantismo aconteceu de maneira discreta, mas houve um momento-chave para acelerar esse processo.

A popularização do cristianismo evangélico está fortemente relacionada ao período de seca que atingiu o interior do Nordeste na segunda metade do século 20 — não é por acaso que o *boom* começa a ser percebido nos anos 1980. Para o antropólogo Gilberto

Velho, essa migração em massa transforma a paisagem social do país, porque, em poucas décadas o Brasil, que era majoritariamente rural (80%) se torna predominantemente urbano (70%). E milhares de famílias trabalhadoras migrantes, muitas influenciadas pela religiosidade católica do interior nordestino, se instalam em bairros novos e distantes das cidades, onde os espaços são ocupados de maneira rápida e em geral não há igrejas católicas próximo.

Ainda hoje a escassez de padres limita a influência católica em partes menos urbanizadas do país. Existe apenas um padre para cada 7,8 mil habitantes no Brasil, o que reflete os anos de preparação investidos na formação de padres; ao passo que pastores pentecostais ou neopentecostais se formam rapidamente, em poucas semanas ou meses. E se abrir uma igreja católica passa por um processo burocrático, igrejas evangélicas são abertas apenas com um registro em cartório.

O antropólogo holandês Martijn Oosterbaan menciona como a Igreja Católica ficava disponível de maneira desigual, favorecendo os segmentos escolarizados. Segundo ele, ela não oferecia o tipo de práticas religiosas que são parte do campo religioso popular no Brasil e nem práticas para conectar problemas do dia a dia com experiências religiosas "terapêuticas". E mesmo quando a Igreja Católica dá preferência pelos mais pobres, como é o caso da Teologia da Libertação, ela utiliza um discurso intelectualizado. Por isso, explica o teólogo Rodrigo Franklin de Sousa: "[...] com o passar do tempo, parte do público originalmente priorizado pela teologia da libertação optou por seguir as igrejas evangélicas, que parecem oferecer respostas concretas aos problemas cotidianos", como o da pessoa que precisa de emprego ou que não consegue superar a dependência do álcool.

Nos lugares em que os serviços do catolicismo não chegam, o culto evangélico atrai quem já é cristão e quer manter sua prática religiosa. No contexto brasileiro, o crescimento evangélico segue o fluxo das migrações das zonas rurais para as cidades, ganha velocidade justamente em meados do século 20 e acelera nas três décadas finais. Em termos latino-americanos, no início do século 21, 10% da população tradicionalmente católica — o equivalente a 50 milhões de pessoas — haviam se convertido a denominações protestantes.

No bairro de Salvador onde morei e pesquisei, o morador que precisasse chegar ao hospital mais próximo gastaria pelo menos uma hora dentro de um ônibus. Na localidade havia uma capela católica, e o padre rezava a missa uma vez por mês, porque ele era responsável por várias igrejas na mesma região. No contexto da precariedade da vida das famílias migrantes que se instalaram em bairros semelhantes por todo o país, as igrejas evangélicas estão muito mais presentes, com pastores atuantes, vivendo no local e com congregações ativas e entusiasmadas que organizam e participam de atividades diariamente.

Em termos cronológicos, é apenas nas últimas décadas do século 20 que a expansão evangélica mais significativa acontece a partir das regiões metropolitanas do Sudeste, principalmente de São Paulo, Rio de Janeiro e Vitória. Nos anos 1990, a população evangélica já estava presente consistentemente ao longo da costa brasileira, de Santa Catarina até o Pará, mas é principalmente de São Paulo, do Rio de Janeiro e do Espírito Santo que o cristianismo evangélico se projeta para o interior chegando ao Paraná, a Minas Gerais e ao Centro-Oeste.

A EXPANSÃO EVANGÉLICA NO BRASIL

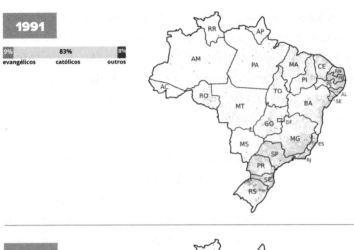

1991
9% evangélicos | 83% católicos | 8% outros

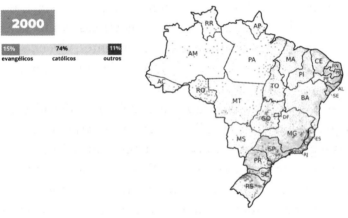

2000
15% evangélicos | 74% católicos | 11% outros

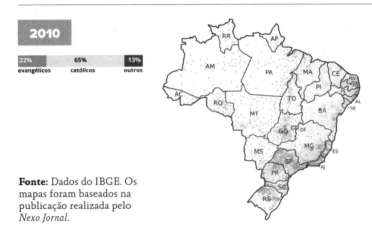

2010
22% evangélicos | 65% católicos | 13% outros

Fonte: Dados do IBGE. Os mapas foram baseados na publicação realizada pelo *Nexo Jornal*.

O Brasil ainda tem mais católicos do que qualquer outro país, mas o censo mostra a queda do catolicismo desde os anos 1970. Ele representava 91,8% da população nessa época e caiu para 64,4% em 2010. No mesmo período o número de protestantes subiu de 5,2% para representar quase um quarto dos brasileiros em 2010. Conforme está indicado no capítulo introdutório, analistas projetam que até 2022 o número de católicos ficará abaixo de 50% da população e que o número de evangélicos ultrapassará o de católicos até 2032. O levantamento mais recente do IBGE registrou que o crescimento evangélico é proporcional à redução do número de católicos no país, e que a cada ano são abertas 14 mil novas igrejas evangélicas no Brasil. Segundo o antropólogo Ronaldo de Almeida, esse crescimento demográfico transborda para sua presença em espaços institucionais incluindo cargos no governo, em escolas e na mídia, especialmente em programas da TV aberta.

Esse movimento de trânsito religioso e de adesão ao protestantismo acontece também em outros países. Se nos Estados Unidos o protestantismo está em queda, apesar do avanço do pentecostalismo, na América Latina ele está em alta. Para se ter uma ideia da velocidade dessa expansão, podemos comparar o número de pessoas que já nasceram em lares protestantes em relação àquelas que se converteram. Em 2014, nos países latino-americanos, os protestantes que nasceram em famílias protestantes representavam menos da metade do total da população que se identificava como protestante. Isso indica que a maioria dos protestantes na América Latina não foi evangelizada "desde o berço", mas se converteu ao protestantismo ao longo da vida.

Juliano Spyer

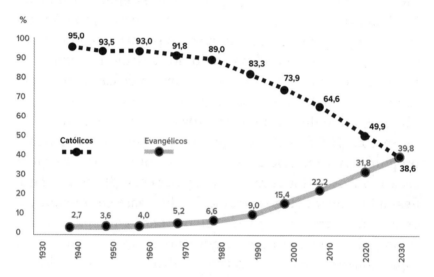

TRANSIÇÃO RELIGIOSA NO BRASIL: 1940-2040

Fonte: IBGE de 1940 a 2010 e projeções de 2020 a 2030

De volta ao Brasil: vamos considerar as duas igrejas mais famosas fora dos círculos evangélicos, que são também os eixos principais formadores da bancada evangélica no Congresso. Segundo o censo de 2010, a Assembleia de Deus reunia o maior segmento protestante do país com 12 milhões de fiéis, ocupando assim o posto de segundo maior grupo religioso atrás apenas da Igreja Católica. A Igreja Universal do Reino de Deus, que é também bastante influente, tem 1,8 milhão de membros. Mas do ponto de vista da gestão, elas funcionam de maneiras diferentes.

Em termos de organização, o que chamamos de Assembleia de Deus não se constitui em uma entidade única, e sim em uma rede que comporta mais de 140 agrupamentos nacionais de igrejas autônomas, unidas por crenças e histórias compartilhadas.

Já a Igreja Universal é uma organização centralizada como uma empresa, gerida de forma estruturada e hierárquica. Por isso, todo e qualquer estabelecimento que representa essa denominação e usa esse nome é comandado em última instância por uma pessoa: seu fundador, o bispo Edir Macedo.

Esses formatos de organização tão distintos são possíveis, porque o protestantismo não tem, como a Igreja Católica, um papa que controla a criação de novas igrejas. Um católico não pode brigar com o padre ou com os outros membros de sua paróquia e criar sua própria paróquia concorrente. Para fazer isso, ele precisaria passar por uma formação provida dentro do catolicismo para poder representar essa igreja. O fiel evangélico que não se sentir representado pelas igrejas existentes pode criar uma igreja nova. Um exemplo conhecido é o de Valdomiro Santiago, que foi pastor por 18 anos da Igreja Universal. Santiago se desentendeu com o bispo Edir Macedo em 1998 e saiu da organização para fundar sua própria igreja, a Mundial do Poder de Deus, da qual ele hoje ocupa a função de apóstolo. E obteve sucesso: sua organização tem hoje um número estimado em 800 mil membros.

Essa característica "fractal", em que fragmentos independentes podem gerar novas igrejas, faz parte de como o protestantismo evoluiu e é também um dos motivos de seu sucesso como tradição religiosa. Se a Universal e outras organizações com hierarquias definidas tiram vantagem de seu poder econômico e da ação coordenada, a Assembleia consegue chegar a rincões do Brasil. Nesse sentido, a antropóloga Véronique Boyer, que pesquisa a região amazônica há 30 anos, explica que a presença da Assembleia "se deve mais à ação de pequenos missionários autoproclamados — que inicialmente têm por objetivo fundar sua igreja — do que a uma ação planejada de igrejas mandando missionários". O pastor e tele-evangelista assembleiano Samuel Câmara — sobre esse poder de presença da Assembleia onde a maioria das igrejas não chega — explica que isso ocorre pelo fato de a linguagem da organização ser "aclimatada a qualquer ambiente". Ele cita o exemplo de uma aldeia do povo Xikrin da Amazônia, onde existem três estruturas fixas: uma escolinha, um posto de saúde e a Assembleia. "Não tem Bradesco nem Coca-Cola, mas a Assembleia de Deus está lá."

É por isso que, como indica a lista abaixo, depois da Assembleia de Deus, os dois agrupamentos maiores de evangélicos no Brasil, segundo a classificação proposta pelo Censo do IBGE em 2010, são igreja "evangélica não determinada", representando mais de 9 milhões de pessoas; e "outras igrejas evangélicas pentecostais", um rótulo que abarca mais de 5 milhões de fiéis. Por isso também as possibilidades de organização são tão variadas, acomodando esquemas mais centralizados, como o da Universal, ou mais autônomos, como o das Assembleias de Deus.

IGREJAS EVANGÉLICAS – Nº DE FIÉIS

Igreja	Nº de Fiéis	Igreja	Nº de Fiéis
Igreja Assembleia de Deus	12.314.410	Igreja Deus é Amor	845.383
Igreja Evangélica não determinada	9.218.129	Igreja Maranata	356.021
Outras Igrejas Evangélicas pentecostais	5.267.029	Igreja Evangélica Metodista	340.938
		Igreja O Brasil para Cristo	196.665
Igreja Evangélica Batista	3.723.853	Comunidade Evangélica	180.130
Igreja Congregação Cristã do Brasil	2.289.634		
		Igreja Casa da Benção	125.550
Igreja Universal do Reino de Deus	1.873.243	Igreja Evangélica Congregacional	109.591
Igreja Evangelho Quadrangular	1.808.389		
Igreja Evangélica Adventista	1.873.243	Igreja Nova Vida	90.568
Igreja Universal do Reino de Deus	1.561.071	Igreja Evangélica de Missão	30.666
Igreja Evangélica Luterana	999.498	Igreja Evangélica Renovada	23.461
Igreja Evangélica Presbiteriana	921.209	TOTAL	42.275.438

Dados do IBGE: Censo/2010. Pesquisa de Angélica Barros, publicada no dossiê Evangélicos no Brasil, lançado na edição de dezembro de 2012 da *Revista de História do Museu Nacional*

Outro indicativo do fortalecimento do cristianismo evangélico no país aparece em outros dados demográficos registrados pelo censo. Considerando-se a faixa etária dos fiéis, enquanto o catolicismo é mais popular entre pessoas com 40 anos ou mais, os evangélicos pentecostais atraem mais crianças e adolescentes. Do ponto de vista da cor da pele declarada pelos fiéis, só entre pentecostais, quase 60% são negros ou pardos. Do ponto de vista da renda, como veremos nos capítulos seguintes, as igrejas protestantes e especialmente as pentecostais são fenômenos brasileiros relacionados às camadas populares.

Mas números podem ser apenas referências abstratas para quem não conhece nem convive com evangélicos. Nas partes do Brasil em que existe maior concentração de evangélicos, já existem municípios em que o número deles é superior ao de católicos. Por isso, é útil relacionar esses dados estatísticos a um contexto real, como o da localidade em que morei e atuei como pesquisador em 2013 e 2014, que é bastante típico em relação a outras áreas das periferias das cidades brasileiras. É nesses lugares que esses dados demográficos ganham vida.

Minha estimativa informal é que entre 30% e 40% dos moradores da localidade eram evangélicos — um número bem acima da média nacional de 22%. É importante explicar, no entanto, que essa estimativa inclui, além de muitas denominações, também muitas possibilidades de vínculo: desde famílias associadas à mesma igreja por duas ou mais gerações até indivíduos que simpatizam com o protestantismo, mas ainda não se decidiram fazer parte de uma igreja. E, entre esses dois extremos, existem desde pessoas que se converteram recentemente até as que já tinham se convertido, mas estão afastadas, não frequentam os cultos, ou transitaram uma ou mais vezes de uma igreja evangélica para outra ou entre outras religiosidades e o cristianismo evangélico.

Nessa localidade, na periferia da área metropolitana de Salvador, moravam em torno de 15 mil pessoas em 2013. E lá havia pelo menos 50 igrejas ligadas a pelo menos 24 organizações evangélicas — aproximadamente uma igreja para cada 300 moradores. Essas organizações incluem grupos já estabelecidos, como a Assembleia de Deus, que é uma das primeiras igrejas pentecostais a se formar no Brasil e foi a primeira igreja evangélica a chegar a esse bairro no fim dos anos 1960; e várias outras denominações, incluindo batistas, adventistas, metodistas, testemunhas de Jeová, além de igrejas neopentecostais, principalmente a Igreja Universal do Reino de Deus e a Igreja Mundial do Reino de Deus.

O tamanho das igrejas evangélicas nesse bairro variava. Algumas eram tão grandes, que tinham aberto "filiais" nas diversas áreas próximas. Na Assembleia de Deus, o pastor coordenava o funcionamento de 22 igrejas menores localizadas num raio de 20 quilômetros de distância da igreja principal. Em termos de tamanho, outra igreja importante dali é a batista "reformada", que segue uma estratégia apostólica agressiva de evangelização "em célula". Para se ter uma noção da audiência que essas igrejas maiores atraem, cada um desses dois grupos evangélicos recebia quase 500 pessoas em suas sedes durante os cultos principais às quartas e aos domingos. Esses números não incluem a audiência das muitas outras atividades que reúnem públicos diversos ao longo da semana.

14. Cristianismo evangélico e as periferias do Brasil

O crescimento do cristianismo em muitas partes do mundo nos últimos 100 anos fez desse tópico um tema de pesquisa importante, particularmente no que se refere à população de baixa renda. No Brasil, a expansão dos estudos sobre cristianismo desde 1990 acompanha o número de brasileiros de origem popular se convertendo do catolicismo para o protestantismo. Sua relevância fica aparente na grande quantidade e na variedade dos estudos relacionados a cristianismo produzidos por sociólogos e antropólogos especializados em religião.

Temas em investigação relacionados ao cristianismo evangélico incluem: a análise do declínio do catolicismo em relação ao luteranismo e à umbanda no Brasil contemporâneo, o crescimento do movimento pentecostal e o contraste das perspectivas sobre se o pentecostalismo promove ou limita a mudança sociopolítica, a crescente influência do pentecostalismo na política estatal, as consequências do pentecostalismo para a questão de gênero e a relação entre pentecostalismo e divindade, entre muitos outros.

Uma questão largamente aceita por esses sociólogos e antropólogos que estudam o cristianismo no Brasil é que as famílias que adotam a fé evangélica melhoram suas condições socioeconômicas e seu reconhecimento no âmbito da cidadania. A expectativa de ter uma vida materialmente melhor ajuda a explicar por que pentecostais, que emergem principalmente de setores de baixa renda, são predominantemente urbanos, jovens, negros ou pardos, do sexo feminino, ficam menos anos na escola e têm salários menores do que a média da população. Conforme vimos na parte anterior, é essa a população que encontra no cristianismo evangélico as certezas para sobrevivem em um mundo com muitas incertezas.

Algumas pesquisas ajudam a entender a ampliação da popularidade do protestantismo dentro dessa situação de vulnerabilidade relacionada à sua chegada às cidades. Por exemplo, ao adotar o cristianismo evangélico, o migrante tem acesso a novas redes de apoio. Essas conexões relacionadas ao convívio cotidiano nas igrejas ajudam o evangélico a suportar a frustração e a ansiedade enquanto se adapta à vida nas cidades e serve também de alternativa aos ambientes de convivência dos bares e de redes de ajuda mútua já estabelecidas nas vizinhanças, mas que nem sempre são receptivas aos recém-chegados.

Juliano Spyer

Um aspecto da presença do cristianismo nos bairros populares é a maneira como ele ocupa indiscriminadamente espaços antes ocupados separadamente por católicos e por representantes dos cultos de matriz afro. Na localidade onde morei, a capela católica está na área central e mais alta da região, junto aos terrenos e casas mais antigos e da parte mais urbanizada do bairro, com propriedades maiores e mais caras, enquanto nas áreas periféricas de transição entre rural e urbano ficam os vários terreiros de candomblé em funcionamento. É nessas mesmas áreas que estão várias ocupações de terra. A infraestrutura urbana para oferecer água, esgoto e luz ainda não está disponível. É onde estão as famílias mais pobres e vulneráveis.

O fato é que não existem terreiros das religiões de matriz afro nos espaços centrais nem existe igreja católica nas extremidades do bairro, mas as igrejas evangélicas estão presentes em todas as partes da vizinhança. No espaço central ficam templos maiores das igrejas mais fortes e conhecidas, como a Universal e a Assembleia. Nas áreas intermediárias e nas mais distantes existe uma grande variedade de igrejas, incluindo as mais tradicionais, como a batista, a presbiteriana, a adventista, igrejas que são pequenas filiais das organizações maiores, e até igrejas novas, criadas há relativamente pouco tempo. Qualquer garagem pode, com um sistema de som e algumas cadeiras, passar a funcionar como igreja.

Sim, nestas localidades existem tensões causadas pelo crescimento rápido do protestantismo. O rancor pelo evangélico aparece, por exemplo, sobreposto à reclamação de que o bairro está tomado por "pessoas de fora". Esses migrantes são famílias que vêm chegando no mesmo processo que formou as periferias das grandes cidades brasileiras desde a segunda metade do século 20. O mesmo ressentimento aparece nas acusações de que os evangélicos pensam somente em si mesmos, em ganhar dinheiro e se mostram como os mais virtuosos; e escondidos, cometem todo tipo de pecado. Mas, ainda assim, o cristianismo evangélico aflora, independentemente de demarcações e limites estabelecidos, e atrai a população mais jovem da localidade. Contudo, apesar de existirem tensões, o conteúdo produzido por artistas gospel e pastores também é consumido por quem não é evangélico, mas se identifica com a temática bíblica que circula, por exemplo, via pregações e músicas disseminadas pelo YouTube ou por DVDs, e em arquivos de áudio compartilhados via Bluetooth ou WhatsApp. Porque, como essas pessoas repetem, elas podem não ser evangélicas, mas acreditam em Deus e em Jesus, e esse é o assunto das pregações e das músicas.

15. Limites de classe: estar vulnerável *versus* ser vulnerável

Você está dirigindo por uma cidade grande que não conhece e se perde em uma dessas áreas intermediárias de emaranhados de autopistas, viadutos e pontes. Você vê muitas pessoas nos outros carros, mas não dá para abrir a janela e pedir informação a eles, porque todos estão em alta velocidade. O GPS do seu celular não está funcionando e nenhuma construção habitada — posto de gasolina, borracharia etc. — aparece no campo de vista. Em uma decisão apressada, você pega uma saída à direita para tentar outro caminho e vê repentinamente adiante uma *blitz* com dezenas de homens fardados. Eles carregam fuzis *hollywoodianos* e ocupam três das quatro vias da pista. Assim como os demais motoristas, você reduz a velocidade para formar uma fila obediente. E como os outros, provavelmente você desligou ou abaixou o volume do rádio e observa ansiosamente o veículo à frente e a movimentação entre os policiais, que acontece na área da *blitz*.

Juliano Spyer

A operação ocupa mais de 100 metros da pista. Alguns carros, motos e caminhões já receberam ordens para encostar. Sem perceber, você está pedindo mentalmente — rezando, dependendo da sua religião — para as forças do universo pouparem você nessa "loteria" de inspeção. Não que você seja culpado de qualquer coisa, mas está com medo da situação intimidante representada por dezenas de pessoas fardadas, suas expressões graves, os armamentos pesados e as notícias sobre violência policial que retornam à memória.

Agora faltam alguns segundos para sair da *blitz*, mas tudo acontece como em câmera lenta. Você pensa que logo voltará a respirar normalmente, continua dirigindo e nota adiante o último dos homens fardados encarando despudoradamente as pessoas que passam nos veículos... Ele olha para você e faz um sinal com as mãos. Está dizendo para você encostar, mas a tensão faz você entender que o gesto é para você seguir adiante...

Você acelera, ele saca a pistola e aponta... O tempo congela... Entre o apertar daquele gatilho e o instante em que o projétil irá atravessar seu tórax, o tempo é menor que uma fração de segundo... Mas você tem sangue-frio para reduzir e estacionar.

Você abre o vidro do carro e, ainda sob o efeito do terror de ter a arma apontada para o seu peito, escuta o homem armado descarregar uma rajada de impropérios que o responsabilizam por você quase ter morrido. Depois, você ainda encosta o carro e passa pela revista. E vai embora com a imagem congelada do revólver apontado para você e um silêncio atordoado que continuará no ar pelas próximas horas.

No Brasil, a diferença entre as pessoas que têm "cidadania completa" e as que têm "cidadania parcial" poderia ser medida pela quantidade de vezes que ambas enfrentaram situações de vulnerabilidade e humilhação como a descrita acima. Para os que têm a cor da pele, a escolaridade e as posses aceitas, ver a violência frente a frente é uma experiência ocasional. Para os que vivem fora daquilo que o jornalista Caco Barcellos chamou de "fronteira da cidadania", esses acontecimentos são tão comuns, que as pessoas se acostumam a eles desde a infância. É parte do dia a dia, de maneira que elas consideram normal — mesmo que indesejáveis — viver com medo de ser intimidadas ou atacadas.

A violência não é uma novidade para as camadas média e alta da sociedade. É um tema que vem sendo apresentado realisticamente em *best-sellers* como *Rota 66* (1992) e *Estação Carandiru* (Drauzio Varella, 1999), em filmes populares como *Cidade de Deus* (Fernando Meirelles, 2002) e *Tropa de Elite* (José Pailha, 2007); em documentários como *Notícia de uma Guerra Particular* (João Moreira Salles, Kátia Lund, 1999) e *Ônibus 174* (José Padilha, Felipe Lacerda, 2002) e nas letras de artistas como os Racionais MC's, Criolo, Emicida, e mais recentemente Baco Exu do Blues e Rincón Sapiência. Tratar do tema da violência urbana hoje é quase um clichê. Ainda assim, o conhecimento que chega pelos livros, pelo cinema e pela música raramente se complementará pela vivência corporal de estar diariamente vulnerável.

Algumas profissões provocam esse choque de realidade. Missionários, médicos, funcionários públicos e antropólogos, entre outros, se veem às vezes obrigados a cruzar essa fronteira e testemunham a exposição constante à violência, comum para quem mora nas periferias das cidades brasileiras. (A rua e a casa em que morei foram recomendadas por um policial da região.) Nos locais mais afastados do centro urbano do bairro, um confronto entre traficantes, ou de traficantes com a polícia pode acontecer cotidianamente, de noite ou de dia. No momento dos tiroteios, as janelas das casas são fechadas e os moradores se deitam no chão até os tiros pararem. De manhã, o aparecimento de corpos já não assusta as pessoas. Informando umas às outras pelo WhatsApp sobre a localização do cadáver, elas alteram suas rotas para "ver quem foi" morto. De vez em quando é um conhecido, mas frequentemente o corpo é de outra pessoa e apenas foi desovado ali.

Andando nas ruas, rapazes usando bonés, correntes e tênis sabem que podem apanhar da polícia por "quererem se parecer com traficantes". Há também tiroteios nas disputas entre grupos rivais e nas invasões da polícia a uma área para surpreender grupos de bandidos. Isso sem falar na violência doméstica e nas brigas de bar. E não existe "chamar a polícia", que demora para chegar (quando chega) e depois vai embora e deixa o indivíduo sozinho para dar explicações aos que não querem a presença da polícia. Nessas localidades, a ambulância pública também é um serviço de luxo, acessível geralmente às pessoas que têm os contatos certos. O comum mesmo para os momentos de emergência é pedir favor ao vizinho. É quando funcionam as redes de ajuda mútua, tema amplamente estudado por ser essencial para a sobrevivência dos moradores dos bairros populares.

O principal *insight* de viver um período longo em um local como aquele — parte do que se chama "Brasil profundo" — foi ser confrontado diariamente pela impressão de estar vivendo em outro país, quando estava a dez minutos de carro de condomínios com casas de praia com jardins e piscinas cercados por muros e protegidos por cachorros grandes. A distância entre esses dois mundos parece ser criada pela renda. Mas, na verdade, resulta principalmente do abismo existente entre minha escolaridade e a deles e todas as implicações que essa desigualdade educacional produz em relação, por exemplo, à maneira de se comunicar, aos arranjos familiares, à exposição à violência e ao acesso a serviços de saúde público ou privado. A percepção sobre a existência e a manutenção desse *apartheid* — para usar a descrição proposta pela antropóloga Claudia Fonseca, da UFRGS — é condição para explicar o aparecimento repentino, em termos históricos, de 50 milhões de evangélicos em poucas décadas.

16. Preconceito de classe

Considerando a importância da noção de classe para a formulação dos argumentos deste livro, é útil, neste momento, esclarecer que classe não é sinônimo de renda. Sociologicamente, pertencer a uma classe tem a ver com estar interligado a outras pessoas da mesma condição social, econômica e cultural que compartilham certos valores e visões de mundo e, fundamentalmente, um certo "capital educacional" que dá acesso a determinadas possibilidades de trabalho.

Portanto, quando me refiro às camadas média e alta, tenho em mente brasileiros com curso superior — geralmente feitos em instituições de elite cuja admissão depende de dinheiro para pagar escolas privadas — que convivem com pessoas em condições semelhantes e têm acesso a redes de contato formadas por vínculos familiares ou de amizade. Do outro lado, encontram-se os brasileiros restritos a empregos que demandam pouco ou nenhum treinamento formal, como de faxineiro, motorista, vigia, pedreiro, porteiro e vendedor em lojas, cuja condição — ou a falta de condições — limita muito a possibilidade de transitarem para as camadas superiores.

A relação entre evangélicos e o Brasil popular aparece no cenário de muitas e variadas igrejas presentes em bairros periféricos, entre negros e pardos com menos escolaridade e salários menores do que os da média da população.

A ideia de que o preconceito no Brasil entrelaça classe e raça coincide, por exemplo, com análises do sociólogo Florestan Fernandes, publicadas a partir dos anos 1960. Ele explicou como o racismo brasileiro toma a forma de uma hierarquia gradual de prestígio, baseada em critérios como educação formal, local de nascimento, gênero, histórico familiar e classe social. O fato de a pessoa ser negra ou parda não seria um impeditivo explícito para prosperar, mas a sociedade filtra de maneira indireta pessoas vindas de determinados contextos socioeconômicos — com acesso facilitado aos brancos — para determinadas funções e cargos.

Considere este exemplo, registrado durante minha pesquisa de campo: no cartório do bairro vizinho ao meu na Grande Salvador havia três funcionários negros jovens, bonitos e bem vestidos: duas mulheres e um homem. Eles trabalhavam quase em silêncio em comparação com a conversa miúda que acontecia na fila para o atendimento. Os cabelos me chamaram a atenção: os das mulheres eram alisados; e os do homem eram raspados curto, no estilo militar. Isso não era comum considerando como, em bairros periféricos como aquele, muitas mulheres sofriam *bullying* desde a infância e aprendiam rapidamente a domesticar suas cabeleiras usando produtos químicos e ferros quentes. Mas quis ver como eles percebiam essa situação e perguntei a uma das atendentes por que elas, tão bonitas naturalmente, alisavam os cabelos. A resposta foi direta e honesta: "Aqui, quem não alisa o cabelo não passa na entrevista de emprego".

Ou seja, para "parecer profissional" e, portanto, ter a oportunidade de acesso àquele tipo de emprego em escritório, as características afro do candidato deviam ser minimizadas. Semelhantemente, seguindo o argumento de Fernandes, na disputa por um cargo de engenheiro, a escolha pende para o candidato que faz parte da rede de contatos sociais de certas universidades, instituições que são menos acessíveis à população pobre. E assim as diferenças sociais se perpetuam sem que o racismo seja explicitamente culpado pela manutenção das desigualdades.

A obra da pesquisadora apresentada a seguir esmiúça e desenvolve essas descobertas, mas falando sobre o preconceito de classe.

Um dos livros mais importantes sobre as classes populares no Brasil foi escrito pela antropóloga norte-americana Claudia Fonseca, professora desde os anos 1980 na Universidade Federal do Rio Grande do Sul. Um problema que ela aponta em relação a esse tema é como, no Brasil, as classes privilegiadas, inclusive os intelectuais, percebem os pobres de duas maneiras: com compaixão, quando ele é exótico e distante; ou com condenação, mesmo que benevolente, quando é um pobre urbano e, portanto, compartilha os espaços da cidade.

Fonseca explica que entre pesquisadores, se esse pobre não tem uma origem étnica ou história particular (como cigano, quilombola, índio), as características percebidas sobre ele geralmente estão associadas a degeneração ou patologia. E o "exotismo" pode ser relacionado também a distância ou proximidade. O favelado que vive longe pode ser idealizado, mas para os que habitam os mesmos espaços, os conceitos usados para falar sobre eles tendem a ser "violência", "promiscuidade" e "famílias desestruturadas".

Fonseca argumenta que essa maneira preconceituosa de perceber o pobre urbano é consequência do abismo que existe entre a elite cosmopolita e o "zé-povinho". A separação está colocada em termos financeiros e culturais, criando "um sistema que, em muitos aspectos, pode ser comparado ao *apartheid* da África do Sul".

Ela continua:

> Entre ricos e pobres, existe pouco contato: eles não moram nos mesmos bairros, nem usam os mesmos meios de transporte. Para uns, há escolas particulares, táxis, médicos a US$ 100 por consulta. Para outros, a escola pública sucateada, os ambulatórios, os ônibus. Em resumo, para muitos brasileiros, os únicos momentos de contato interclasses se produzem na conversação com a faxineira ou durante um assalto. As barreiras de três metros de altura erigidas diante das casas burguesas são como uma metáfora do fosso quase intransponível entre os dois mundos. A histeria frente ao fantasma da violência urbana é o efeito colateral. [*Família, Fofoca e Honra*, p.108 e 2000]

Juliano Spyer

Essa distância entre ricos e pobres se traduz, para os brasileiros das camadas média e alta, no entendimento de que não existe diferença na maneira de viver e ver o mundo do pobre urbano que mereça ser analisado. Eles supostamente "pensam como a gente" e apenas têm menos dinheiro. Essa visão — expressa pela noção de "cultura da pobreza" — associa a condição de pobreza a famílias "desorganizadas" que reproduzem comportamentos "disfuncionais" transmitidos pelo convívio social, entre familiares e vizinhos.

De certo modo, os evangélicos criaram espaços de convivência exclusivos nos bairros pobres. Eles não são perseguidos pela polícia e por empregadores da mesma maneira como os outros moradores costumam ser. Ao mesmo tempo, eles continuam sendo o "outro", estranho, que vem de fora, de cor mais escura, com gostos e valores diferentes dos das elites educadas.

17. Um pobre que não aceita seu lugar

É importante mencionar a relação entre classe e preconceito para se ter uma visão crítica sobre a falta de interesse — e até a antipatia de alguns brasileiros das classes média e alta — para estudar e entender o Brasil popular; e consequentemente, para examinar o fenômeno do cristianismo evangélico no país, que surge e ainda existe predominantemente nesse Brasil do "andar de baixo".

Notar a existência dessa rejeição à temática do cristianismo evangélico é importante, porque ajuda a explicar por que muitas pessoas que falam ou escrevem sobre o cristianismo evangélico não têm muitas ferramentas conceituais para fazer isso. Não se trata, então, de negar que exista a questão do conservadorismo moral que traz consequências nocivas para a sociedade — por exemplo, em relação a pautas como a da legalização do aborto —, mas junto a isso existe uma tensão pelo fato de o crente ser negro e pobre e ainda por ele, em geral, não aceitar ser vitimizado e tratado como criança ou como uma pessoa incapaz.

Para a antropóloga americana Susan Harding, os cristãos evangélicos são um tipo de "outro", frequentemente rejeitados pelos antropólogos por não aceitarem a posição passiva de vulneráveis. Diferente de outros grupos da sociedade que aceitam ou se resignam a serem vistos como mais frágeis, os evangélicos geralmente não falam de si como vítimas do sistema, e essa rebeldia é um dos motivos para intelectuais que se colocam como porta-vozes de indígenas, quilombolas e mesmo de pobres urbanos, terem uma antipatia por eles, que dispensam essa intermediação para assumir a responsabilidade por se colocar na sociedade e interagir com ela.

Essa antipatia — que toma a forma de críticas vindas desses setores mais intelectualizados da sociedade — frequentemente rejeita o evangélico com argumentos contraditórios. Conforme nota a antropóloga Cecília Mariz, evangélicos são cobrados pelo que fazem ou deixam de fazer, pelo que falam ou deixam de falar. Por exemplo, evangélicos são acusados de alienação política, mas também são repreendidos por se meterem demais na política. Algumas vezes são vistos como muito dogmáticos e por terem postura fundamentalista, mas também são acusados de serem alienados, dedicarem muito esforço à salvação e por isso não se envolverem o suficiente com o mundo fora das igrejas; ou são flexíveis demais com sua fé e, portanto, são culpados de serem demasiadamente materialistas.

A mesma sensibilidade aparece também nas posições sobre religião, disseminadas pelos veículos da grande mídia. Dentro dessa perspectiva, "fazer a cabeça" iniciando-se no candomblé é chique, fazer mapa astral é tolerável, mas ser religioso não é. Ainda mais quando o religioso também rejeita ser humilde e submisso, por isso é acusado de ser manipulado ou de ser avarento por querer ter as mesmas coisas que seus críticos desfrutam: viajar, se vestir bem e ir a restaurante.

Juliano Spyer

No Brasil, mesmo quem rejeita o catolicismo e suas práticas pode manter a visão de mundo hierárquica que existe dentro da lógica dessa religião. Segundo a perspectiva católica, o pobre entra no reino do Céu após aguentar, se manter submisso e dar a outra face para as injustiças que vier a sofrer durante a vida. Essa postura rejeita a ousadia pentecostal de não se perceber menor ou menos valioso como ser humano do que as outras pessoas; na verdade, ele se percebe como alguém excepcional que, com a ajuda de Deus, está atravessando grandes provações e leva uma vida digna.

A mesma lógica hierárquica do catolicismo repudia neopentecostais que abraçaram a teologia da prosperidade, querem mobilidade social, acesso ao mesmo tipo de consumo e às mesmas experiências que as camadas abastadas já têm. E agora pentecostais e neopentecostais são criticados e atacados por terem ambições políticas, apesar de esses projetos não serem os mesmos defendidos pelos representantes bem formados, com cursos universitários e pós-graduação na França.

PARTE 3:
Evangélicos na mídia e mídia evangélica

Como diz o Talmud, quem quer mentir
conta coisas que acontecem muito longe.

Isaac Bashevis Singer,
The Collected Stories

18. Sobre ataques a terreiros de umbanda e candomblé

Você está na sala de espera em um aeroporto internacional aguardando a chamada para o embarque. Perto de onde você está sentado há um grupo animado de estrangeiros, com a pele da cor rosada quase brilhante de camarão cozido, camisas coloridas no estilo havaiano, falando entusiasmadamente sobre as duas semanas que passaram visitando o Nordeste. Em sua passagem pelo Brasil, eles "constataram" que o brasileiro come muita pimenta, que as mulheres e os homens são fáceis de se levar para a cama, que as ruas cheiram a urina, que as pessoas são amigáveis, mas não gostam de trabalhar e vivem em clima de festa indo da praia para o bar, e que os taxistas são aproveitadores.

O problema desse tipo de generalização é que elas tendem a exprimir experiências vividas em contextos limitados. O viajante chega de avião, entra no táxi e vai para o hotel e passa os dias entre praias, lugares turísticos, restaurantes e baladas caras. Em geral, esse visitante não fala português e, portanto, pode se comunicar apenas com algumas pessoas que também falam inglês, e tudo o que conhecem sobre aquele local elas leram em um guia de viagem escrito dez anos antes. Para elas, essas opiniões representam a verdade, mas é a verdade confinada ao pouco do Brasil que elas tiveram a oportunidade de conhecer e de experimentar, ao longo de poucos dias, conversando com poucas pessoas e frequentando apenas espaços turísticos.

Fora do mundo evangélico, as matérias que repercutem, relacionadas a evangélicos, ainda são predominantemente negativas e tratam o religioso de forma genérica e estereotipada, refletindo o preconceito de classe descrito nos capítulos anteriores. Por exemplo, um dos assuntos bastante discutidos em 2017 foi referente aos ataques promovidos por evangélicos a representantes de igrejas de matriz afro. O WhatsApp ajudou a viralizar imagens como a dos "traficantes evangélicos" que obrigaram uma mãe de santo de Nova Iguaçu, no Rio de Janeiro, a destruir seu terreiro. A notícia da igreja que arrecadou e doou R$ 11 mil para a reconstrução do terreiro parece ter provocado menos interesse, mas mesmo essa narrativa que circula em canais mais sofisticados, como a BBC Brasil e os jornais *Nexo* e *El País*, não examina que a igreja que financia a reconstrução é luterana, portanto pertence à tradição protestante histórica, que tem maior proximidade com as camadas média e alta e polariza com o pentecostalismo.

O ataque ao terreiro não deve ser desculpado ou ignorado, mas um recorte generalizante e superficial transforma esses casos em anedotas: histórias curiosas, mas que não são referência da realidade. Em vez de examinar a complexidade do fenômeno a partir da apuração a fundo desses casos, pela consulta a especialistas e busca por perspectivas enriquecedoras, muitas matérias apenas alimentam a ideia estereotipada e simplista do fanático pobre, porque isso atrai a audiência que não conhece e não gosta de evangélicos.

Os estereótipos mais comuns descrevem o evangélico como mercador da fé que se aproveita da superstição de um povo ingênuo e ignorante. Ele é também conservador, contra o aborto e percebe a homossexualidade como uma doença que pode ser tratada e curada. Ele é fanático por rejeitar a ciência, especialmente o evolucionismo darwinista, em favor de uma leitura literal da Bíblia. E como intolerante, ele combate "infiéis", que no Brasil são especialmente aqueles que pertencem às religiões de matriz afro.

No bairro onde morei e pesquisei durante 18 meses havia dezenas de igrejas evangélicas. A maioria, senão a totalidade dos fiéis, mantinha distância (pelo menos abertamente) de pessoas que faziam parte de algum dos 11 terreiros de candomblé existentes nas redondezas, mas eu participei de cerimônias em vários desses terreiros como pesquisador e não fui estigmatizado por isso nas igrejas que frequentei. Alguns evangélicos não manifestavam interesse por esse assunto ou o percebiam por uma perspectiva racional na qual as religiões de matriz afro representariam um estágio menos avançado de religiosidade. Essa narrativa "científica" de alguns evangélicos classificava candomblé e umbanda pertencentes a um plano amplo da religiosidade popular, que era expressa também pela crença em criaturas fantásticas como sereias e lobisomens.

Na prática, pessoas ligadas a terreiros e a igrejas ignoravam-se mutuamente; o tema não tinha importância proporcional à atenção dada a ele por veículos tradicionais de notícias. Durante o período em que vivi na localidade, eu soube de um ataque não violento contra um terreiro. O pai de santo relatou que uma igreja evangélica específica designava grupos de fiéis para fazer orações em voz alta na frente do terreiro dele para "espantar o Diabo" dali. O pai de santo ameaçava chamar a polícia e processar a igreja por intolerância religiosa.

Evidências ou eventos que não reproduzem essa narrativa sobre ataques de evangélicos a terreiros chamam menos a atenção dos meios de comunicação, como é o caso das duas referências apresentadas a seguir.

Uma reportagem feita para o RioOnWatch, um *site* mantido por uma ONG norte-americana e com a meta de dar visibilidade a vozes das favelas cariocas, registrou o acirramento de práticas de repressão e intolerância em várias favelas; mas também registrou que em outras áreas o convívio entre praticantes de religiões de matriz afro e evangélicos é respeitoso. Mesmo em comunidades como o Cesarão, na zona oeste da cidade — que era na ocasião dominado pelas milícias cujos chefes se converteram ao cristianismo evangélico —, os moradores disseram aos pesquisadores jamais terem sofrido qualquer tipo de constrangimento religioso.

A complexidade das relações sociais na vida real aparece também no resultado de um levantamento publicado em 2018 pela ONG Observatório das Favelas. Esse estudo compara o perfil dos adolescentes e jovens inseridos na rede do tráfico de drogas em meados dos anos 2000 com o perfil desse mesmo grupo registrado dez anos depois.

Em relação ao tema da religião, os dados desse estudo apontam uma inversão na opção religiosa de jovens inseridos na rede do tráfico. Na primeira coleta de informações, 39,13% se apresentavam como católicos e apenas 17% como evangélicos. Na segunda, 31,1% disseram ser evangélicos e apenas 11,1% disseram ser católicos. O curioso sobre esse dado, no entanto, é ver como esse trânsito religioso — ou seja, esse movimento das pessoas passando de uma igreja para outra — reflete também na maneira como esses adolescentes e jovens falam por que entraram para o tráfico. No primeiro levantamento, nos anos 2000, os entrevistados explicavam que a atração para participar do crime estava relacionada às oportunidades de acesso a muitas mulheres. Uma década depois, os participantes usam mais frequentemente argumentos novos. Eles dizem que o envolvimento permite que cuidem melhor de suas famílias e falam também de configurações familiares de longo prazo. Dos entrevistados, 70,2% dizem estar em relações estáveis com seus parceiros ou parceiras.

POVO DE DEUS

ENTREVISTADO POR RELIGIÃO

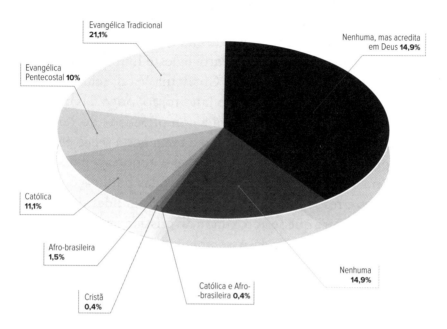

Gráfico com os dados sobre religião coletados pelo Observatório das Favelas, referente ao levantamento feito em 2018

Dados como esses, apresentados pelo RioOnWatch e pelo Observatório das Favelas, apontam para narrativas mais reais e menos estereotipadas e preconceituosas em relação à associação entre evangélicos, traficantes e religiões de matriz afro. Eles não negam o que as reportagens denunciam, como a existência da intolerância religiosa, mas seus resultados igualmente indicam que os ataques a terreiros acontecem em situações que precisam ser contextualizadas e que a associação de grupos evangélicos com traficantes não se limita ao interesse utilitário de perseguir e expulsar quem é diferente e demonizar o legado cultural dos afrodescendentes.

O mesmo preconceito de classe que alimenta estereótipos entende a existência de uma incompatibilidade "óbvia" entre pertencer ao tráfico e ter uma experiência de conversão verdadeira para o cristianismo evangélico, o que corresponde a uma visão ingênua do próprio cristianismo na história.

Em relação a esse tema, na Parte 6 deste livro será apresentada pesquisa da antropóloga Christina Vital, realizada em duas áreas periféricas do Rio de Janeiro, ao longo das décadas de 1990 e 2000, em que registra a complexidade do tema do "traficante evangélico". Mas como o tema nesta seção é mídia, no capítulo seguinte vamos conhecer a reportagem extensa feita para a revista *The New Yorker*, uma das publicações mais influentes e respeitadas do mundo, sobre um líder do tráfico no Rio de Janeiro que se aproximou do cristianismo evangélico por meio de um pastor da Assembleia de Deus. Essa matéria, feita por um veículo e por um repórter estrangeiros, produz um exemplo a ser contrastado com as reportagens publicadas no noticiário brasileiro sobre o mesmo caso.

19. A história do traficante evangélico

"Gangland", neologismo que pode ser traduzido como "ganguelândia" ou "terra das gangues", é o título de um artigo do jornalista Jon Lee Anderson, publicado em 2009 na revista *The New Yorker*, uma das mais prestigiosas do mundo. Na ocasião em que saiu impressa, o Brasil atravessava um período de crescimento econômico e otimismo. O país estava se preparando para sediar a Copa do Mundo de 2014; e o Rio, que é a "ganguelândia" citada no artigo, seria o palco dos Jogos Olímpicos de 2016. Não é surpreendente, nesse contexto, que essa publicação tenha causado incômodo em setores da população e do governo, tendo sido classificada como um ataque ao país e também ao então presidente Lula, que naquele período já tinha ganho notoriedade internacional pelos resultados de seus programas de combate à pobreza.

Um dos personagens cariocas que chamaram a atenção do jornalista americano foi o traficante Fernandinho Guarabu, chefe do morro do Dendê, que havia sido pauta do noticiário local por ter se convertido ao cristianismo evangélico pela influência de um pastor da Assembleia de Deus chamado Sidney Espino dos Santos. O enquadramento dado a esse caso pelos veículos de notícia nacionais destacava a crueldade de Fernandinho ao mandar decapitar inimigos, e informava também que ele, em virtude da conversão, havia banido da favela as práticas da umbanda e do candomblé e mandou colocar uma faixa na piscina comunitária do morro dizendo: "Isto pertence a Jesus Cristo".

Em vez de aceitar a narrativa proposta nas matérias dos jornais brasileiros que noticiaram esses eventos, Lee Anderson ficou intrigado com o caso da união improvável entre a fé cristã e o tráfico de drogas e se empenhou para conhecer a fundo aquela história, até mesmo assumindo o risco — em um período em que jornalistas cariocas tinham sido assassinados pelo tráfico — de entrevistar Fernandinho frente a frente para descobrir em que medida ele tinha se convertido de verdade; e nesse caso, o que essa conversão representava para ele.

A forma que o jornalista encontrou para chegar até o traficante foi pedindo a ajuda do pastor Sidney, que ele também entrevistou para a matéria. Como é comum nessa experiência de contato entre o crime e o mundo evangélico, Sidney contou que conheceu Fernandinho fazendo trabalho de evangelização nas favelas. Conforme também ouvi de ex-traficantes convertidos ao cristianismo, pastores muitas vezes se tornam protegidos por líderes do crime quando o trabalho desses religiosos é percebido como genuíno. E por isso os pastores comumente são as únicas pessoas com disposição e coragem para se aproximar de traficantes perigosos como parte de seus esforços de evangelização.

Juliano Spyer

Na entrevista para o jornalista americano o pastor Sidney relatou: "Eu estava trabalhando entre os traficantes. Eu estava saindo e pregando nas ruas. Eu me aproximava deles da mesma maneira, como se eles estivessem possuídos por demônios, e vi que eles aceitavam isso, porque tem algo sobrenatural nisso. Mas eu evitava o Fernandinho. Eu ouvi coisas sobre ele que eu não tinha gostado".

Apesar disso, o pastor contou: "Fernandinho veio até mim. Ele observava as minhas pregações. Ele via as pessoas caindo no chão. E ele me pediu que orasse por ele".

Na história desse encontro entre um pastor evangélico e um chefe do tráfico em um morro carioca é informado que Sidney havia se distanciado de Fernandinho, mas o motivo dessa ruptura é revelado apenas gradualmente, para manter o clima de suspense da história.

O pastor, que aceita levar o repórter até próximo do local onde o traficante vive, apenas conta de maneira vaga que Fernandinho ainda estaria longe de aceitar Deus, mas que o contato com a religião havia mudado o comportamento dele para melhor. Ele estava menos violento, matava menos e teria proibido práticas criminosas no morro, como roubos a casas e furtos de carros, ou seja: ele já não permitia atos que não fossem estritamente ligados ao tráfico.

No caminho até o morro do Dendê, para levar o jornalista ao encontro do traficante, o pastor dá outra pista do que teria levado à ruptura da relação dele com Fernandinho. Sidney reclama da aproximação entre Fernandinho e outros evangélicos, que em vez de pressioná-lo a abandonar o crime, seriam condescendentes e falavam apenas o que ele queria ouvir. Mas não se sabe ainda o que exatamente tinha levado o pastor a manter-se distante do líder que em um dado momento havia demonstrado interesse pela conversão.

Ao chegarem à entrada do morro, a matéria registra um "ritual curioso". "Um após outro, cada um dos seguranças [do tráfico] entrega sua arma a um camarada e chega até a janela aberta do pastor Sidney. Cada um fica parado com os braços junto ao corpo

POVO DE DEUS

e de olhos fechados, e enquanto o pastor faz algum tipo de invocação bíblica falando alto e em ritmo acelerado, eles entram em transe. O pastor Sidney então estende o braço, e colocando a mão sobre a testa do segurança, grita várias vezes: — Sai! Finalmente ele sopra forte sobre eles, ou esfrega a mão na cabeça deles, e eles acordam, abrem os olhos de uma maneira assustada e sorriem agradecendo ao pastor."

O pastor Sidney acompanhou Lee Anderson ao longo de quatro pontos de inspeção com os seguranças do tráfico. Ele mesmo não quis se encontrar com Fernandinho, mas fez as apresentações necessárias para que o jornalista fosse devidamente encaminhado até ele, e o prestígio do pastor junto ao traficante não só deu resultado, como levou o repórter americano a realizar sua entrevista dentro da casa de Fernandinho.

O chefe do Morro do Dendê, Fernandinho Guarabu, na foto que acompanha a matéria da revista *The New Yorker*.

Juliano Spyer

Nos primeiros momentos do encontro, o jornalista registra sua surpresa ao confrontar a imagem mental que havia criado do bandido temido e cruel com a figura do jovem que ele acabara de conhecer, que se mostrava solícito e que tinha a aparência de uma pessoa normal. Uma foto publicada com a matéria mostra Fernandinho no sofá; ao lado dele, uma bicicleta ergométrica, e atrás, na parede, pôsteres enquadrados com mensagens bíblicas. No antebraço direito, a tatuagem com o nome Jesus Cristo escrito em fonte gótica.

Respondendo ao jornalista sobre sua religiosidade, Fernandinho contou que rezava bastante, inclusive para os inimigos dele. A reportagem registra: "Como para demonstrar a verdade de sua afirmação, [Fernandinho] fechou a porta de seu quarto [onde eles estavam] e se ajoelhou. Ele rezou como uma criança, com as mãos unidas, os olhos fechados e os lábios se movendo em uma oração murmurada". Em seguida, ele mostrou em sua Bíblia uma página marcada, que era onde havia parado. Ele disse que pretendia ler do começo ao fim. Depois disso, já no fim da matéria, o jornalista diz que parabenizou o traficante por seu esforço, mas apontou também para a aparente contradição entre sua fé religiosa e sua vida como traficante e perguntou qual era, na opinião dele, a linha que dividia o certo do errado. Fernandinho teria sorrido ao responder com outra pergunta: "Quem está decidindo?"

Na parte final dessa matéria, que ocupou 17 páginas impressas, o repórter volta a se encontrar com o pastor Sidney, e finalmente ficamos sabendo o motivo da ruptura entre ele e Fernandinho. O pastor tinha descoberto uma quebra da promessa feita pelo traficante, a de que não mais mataria. Confrontado sobre o assunto pelo religioso, Fernandinho teria ficado calado. "Ele não me disse nada. E eu vi os demônios voltando para os olhos dele."

A virtude desse artigo vem do fato de o jornalista dar-se a oportunidade de observar as coisas como elas são na realidade: confusas, contraditórias, muitas vezes estranhas e incoerentes.

POVO DE DEUS

Percebe-se um interesse, uma fascinação mesmo, e um esforço legítimo do traficante para se aproximar dessas pessoas de fé. E nota-se que de alguma forma esse encontro traz consequências para a vida de Fernandinho.

Pelo artigo, se conhece a complexidade do mundo evangélico, que inclui tradições mais estabelecidas, como as da Assembleia de Deus. Veem-se as contradições desse relacionamento, por exemplo, na pressão que o pastor Sidney sofre por causa de sua aproximação com o traficante. Ele ganha notoriedade, inclusive fora do âmbito de sua igreja e de seus pares, e seu nome é citado nos jornais. Mas essa exposição eventualmente se volta contra ele, e isso também tenciona seu relacionamento com Fernandinho. Ele aparecia perante as outras igrejas, a sociedade e os próprios membros da Assembleia como um pastor conivente com as atitudes do traficante. Talvez, se não houvesse essa pressão, ele pudesse ter continuado próximo de Fernandinho, seguindo seu trabalho de evangelização.

Ao mesmo tempo, percebe-se também como o protestantismo se desdobra facilmente — como acontece historicamente —, igrejas novas aparecendo, algumas prosperando. Nas periferias e nas favelas elas competem para se estabelecer e eventualmente se tornam cúmplices do crime organizado, servindo para esconder armas ou mobilizando as forças políticas locais contra religiões concorrentes, como os católicos ou os praticantes das religiões de matriz afro.

Essas conclusões registram também que a conversão do traficante é um fenômeno mais complexo e interessante, que vai além da aparente incompatibilidade entre atuar no tráfico e ser cristão evangélico. Esse tema será retomado e examinado com mais detalhes na Parte 6, chamada "Reciclagem de almas — traficantes e cristianismo".

Fernandinho foi o traficante que ficou mais tempo em ação no Rio de Janeiro, ao todo foram 15 anos. Nesse período credita-se a ele a expulsão de dezenas de mães e pais de santo e o fechamento de terreiros nas áreas que controlava. Sua longa sobrevivência no tráfico teria sido resultado de uma vida discreta e de uma rede complexa e cara para subornar policiais. Ele morreu em uma troca de tiros durante uma operação policial em junho de 2019. A morte de Fernandinho foi anunciada amplamente pelos jornais, rádios e programas de TV, mas seu envolvimento com o cristianismo já era um tema quase esquecido.

20. A cobertura dos 500 anos da Reforma Protestante

Em outubro de 2017, celebraram-se os 500 anos da Reforma Protestante, oficialmente marcada pela publicação das teses de Martinho Lutero criticando a Igreja Católica. É interessante, então, ver como essa efeméride foi noticiada fora dos círculos evangélicos.

Em geral, as notícias que circularam na grande imprensa brasileira apresentaram o evento como um tema ligado ao passado europeu. Essa escolha se explicita quando as reportagens mostram principalmente igrejas protestantes históricas, as que chegaram ainda no contexto da independência do Brasil, no início do século 19, por meio de imigrantes e missionários europeus e americanos. A matéria do *Jornal Nacional*, representativa por ser este o programa de jornalismo de maior alcance no país, começa registrando uma reunião nacional da Igreja Metodista, realizada no parque olímpico do Rio; daí mostra o local em que, no século 16, aconteceu o primeiro culto protestante no Brasil e termina registrando o desfile de estudantes, descendentes dos imigrantes alemães (portanto "luteranos"), no Rio Grande do Sul.

Esse recorte temático, semelhante nas notícias veiculadas por outros meios, exclui da pauta as igrejas pentecostais e neopentecostais. Apesar de não aparecerem, elas representam a maioria dos protestantes no país. Em vez de descendentes dos grupos europeus, principalmente alemães luteranos que migraram para o Sul, eles fazem parte das classes populares, são predominantemente negros e mestiços e sua origem geográfica é o Norte e o Nordeste do país. Essa inversão — em que negros e pardos pobres transformarão o Brasil em um país protestante nos próximos dez anos — é muito mais insólita e cativante do que o conteúdo frio apresentado nos livros de História escolares. Que essa história não tenha sido contada indica o desinteresse e/ou preconceito que formadores de opinião têm em geral pelo fenômeno social do cristianismo evangélico no Brasil.

O jornalismo, por sua velocidade e função, tende a chegar antes dos historiadores e dos cientistas sociais para captar aquilo que está por vir: a nova tendência e os novos personagens que estarão à frente dos acontecimentos. Graças a livros como *Carandiru*, do médico e escritor Drauzio Varella; ao livro-reportagem de Caco Barcellos, *Rota 66*, "a polícia que mata"; aos documentários *Ônibus 174* e *Notícias de uma Guerra Particular*; aos filmes *Cidade de Deus* e *Tropa de Elite* e a muitas composições da música popular ganhamos uma perspectiva mais densa sobre a violência urbana no Brasil, para além da ideia de uma luta do bem contra o mal. Mas a cobertura dos 500 anos da Reforma Protestante mostra como o assunto "evangélicos" parece ser propositalmente ignorado. É o "elefante na sala", só mencionado em situações específicas, para evitar polêmica e desconforto em uma fatia expressiva da população.

Se a Reforma Protestante é um dos principais eventos do mundo moderno, e se o Brasil contemporâneo está sendo marcado intensamente pelas consequências desse evento, o que resultou dessa efeméride foi um grande silêncio em relação a protestantes evangélicos e os ecos expressivos que suas ações produzem no Brasil atual em termos de costumes, política e mesmo no âmbito das artes e da cultura popular. E, conforme o capítulo seguinte indica, esse silêncio pode também ter outras origens, considerando a influência crescente de organizações evangélicas nas telecomunicações e o fato disso representar a entrada de novos *players* em um mercado que historicamente é bastante fechado.

21. Mídia tradicional *versus* mídia evangélica

Além da falta de entendimento sobre o tema do cristianismo evangélico, a disputa empresarial enviesa a perspectiva das coberturas jornalísticas. Já faz algumas décadas que existe um ambiente tenso e de confronto entre grupos de mídia controlados por organizações evangélicas e veículos de comunicação que não são de evangélicos. Na antropologia, Patricia Birman e David Lehmann já examinavam, em 1999, a ameaça que o neopentecostalismo trouxe para a elite do Brasil e como essa tensão se repetiu em debates públicos e na animosidade crescente entre a Igreja Universal e a Rede Globo.

Nesse contexto inamistoso e de disputas por audiências e, mais além, pelo controle da esfera pública e do espaço onde a sociedade forma suas opiniões, não é surpreendente que nos meios tradicionais as notícias sobre evangélicos sejam geralmente ignoradas, a menos que aquilo que se tenha a anunciar seja crítico e negativo em relação ao evangélico. Quando o veículo noticioso está ligado a uma igreja evangélica, a notícia enfatiza a degradação dos valores morais do mundo em geral, a dissolução das famílias, a sexualidade precoce dos adolescentes, a tolerância a debates sobre gênero que confundem as crianças e a responsabilidade de artistas e certas empresas de comunicação por promoverem esses valores.

Há, contudo, indicações surgindo aqui e ali de que a percepção de jornalistas, formadores de opinião e intelectuais está mudando.

Por exemplo, em julho de 2014, no calor da eleição presidencial no Brasil, o escritor e jornalista Ricardo Alexandre, que é batista, publicou na *CartaCapital* um artigo intitulado "Afinal, quem são os evangélicos?", que continua listado entre os dez mais lidos no *site* da revista. O texto, lançado em um dos principais fóruns de debate da esquerda, vai ao ponto ao registrar a ignorância das camadas mais educadas. Ele escreve: "Dizer que 'o voto dos evangélicos decidirá a eleição' é tão estúpido quanto dizer a obviedade de que 22,2% dos brasileiros decidirão a eleição. Dizer que 'os evangélicos são preconceituosos' significa dizer que o ser humano é preconceituoso. É não dizer nada, na verdade".

Essa visão mais empática tem aparecido também na academia, principalmente no trabalho desenvolvido pelo Programa de Estudos e Pesquisas das Religiões (PROEPER), da UERJ; da revista *Religião & Sociedade*; e de pesquisadores realizando trabalho de ponta em universidades como UFRGS, USP e Unicamp, entre outras. E para além dos círculos especializados, vemos ações pontuais acontecendo, como a do grupo de pesquisadores da USP e da Unesp que em 2017 foi à Marcha para Jesus, um evento que reuniu nesse ano 2 milhões de pessoas, para fazer um levantamento inédito sobre o perfil dos participantes.

Conforme noticiou o jornal *El País* a partir de conclusões preliminares desse estudo, "ao contrário do que poderia apontar o senso comum, as opiniões desses fiéis têm mais matizes com respeito à questão de gênero e de direitos das minorias LGBT do que o alinhamento fechado da influente bancada evangélica no Congresso".

A seguir, dando continuidade a este debate, veremos em que medida a adoção do cristianismo evangélico pode ser considerada uma escolha vantajosa e inteligente do pobre.

PARTE 4:
Consequências positivas do cristianismo evangélico

Tenho a convicção de que qualquer religião que professe uma preocupação com as almas dos homens, mas não esteja igualmente preocupada com as favelas a que eles estão condenados, com as condições econômicas que os estrangulam e com as condições sociais que os debilitam, é uma religião espiritualmente moribunda.

Martin Luther King e Clayborne Carson,
A autobiografia de Martin Luther King

22. Cristianismo, resiliência e disciplina

O cientista social americano David Smilde frequentou durante três anos igrejas pentecostais nas periferias de Caracas, na Venezuela. Examinando um contexto muito parecido com o brasileiro, ele conclui no livro *Razões para Crer* que a fé evangélica se enraíza em áreas pobres, com pouca presença do Estado e índices altos de criminalidade, cultivando entre os fiéis força moral para resistir à exposição constante a dificuldades, além de dar acesso a redes de ajuda mútua entre fiéis e a promoção de um estilo de vida disciplinado.

Smilde escreveu: "Embora as análises iniciais dessa expansão [do número de evangélicos na América Latina] se reduzissem a acusações estridentes de imperialismo cultural ou lamentos pela mudança para o escapismo sobrenatural, as pesquisas de base empírica revelaram que o movimento evangélico é o meio pelo qual os latino-americanos pobres enfrentam os desafios que têm diante de si". Para este sociólogo, o protestantismo evangélico funciona ao abrir possibilidades de ação para esses convertidos pobres incorporarem disciplina para controlar aspectos da vida pessoal e social que até então mantinham essa população presa à sua identidade subalterna.

"Provavelmente, o desafio mais conhecido [para os convertidos] é o uso abusivo de drogas. Os pesquisadores argumentam que, embora o álcool promova tradicionalmente as normas camponesas de reciprocidade em áreas rurais, no contexto urbano da pobreza o seu uso costuma atingir níveis incapacitantes e pode levar ao consumo de drogas. Este, por sua vez, pode exacerbar a pobreza e o conflito familiar", afirma Smilde.

Smilde menciona os resultados de numerosas pesquisas sobre as consequências do cristianismo evangélico para o abandono do consumo de bebidas alcoólicas. A pessoa que quer se converter precisa afastar-se de todos os vícios, inclusive do vício de beber, usar drogas ilícitas, fumar e jogar. Para as pessoas dispostas a romper o vínculo com o álcool, as igrejas servem como rede social alternativa aos bares e às amizades formadas em virtude do vício. As igrejas proveem apoio e acompanhamento aos fiéis que estão empenhados a parar de consumir bebidas alcoólicas. Ao mesmo tempo, o cristão que tem recaídas recebe castigos, como a perda de cargos de prestígio, e são desaprovados pelos membros.

Essa disciplina também tende a refletir, por exemplo, na melhor capacidade de aguentar as frustrações e se adaptar ao trabalho formal. A partir desse patamar, ao entrar na formalidade, essa família ganha maior proteção do Estado, planeja a entrada regular do rendimento salarial e assim tende a melhorar suas condições financeiras.

Há um perigo em simplificar esse argumento a ponto de sugerir que o evangélico seja melhor moralmente do que seus vizinhos, como se todo homem ou mulher das classes populares que frequenta bares gastasse o dinheiro da família em algo desnecessário, o que, além de não ser verdade, ignora hábitos de lazer, *ethos* e lógicas culturais próprias desses grupos.

Tendo o conhecimento de causa de quem cresceu em uma família evangélica, a antropóloga Elizabeth Inácio lembra que, "com exceção dos casos de alcoolismo que levam à violência doméstica, mulheres não evangélicas reclamam tanto de seus maridos nos bares quanto mulheres evangélicas reclamam que os maridos deveriam 'levar a cama para a igreja' — expressão usada quando um homem é especialmente dedicado à igreja, mas pouco dedicado ao lar, à esposa e aos filhos".

A consequência apontada nesse argumento é a busca, no lar evangélico, pela superação da condição de vulnerabilidade, principalmente a partir da disciplina no trabalho, no fortalecimento dos vínculos dentro da família nuclear, na incorporação da mulher no mundo do trabalho formal e na promoção da educação e qualificação profissional que abrem caminho para a ascensão socioeconômica via empregos que demandam diploma superior, como professor ou enfermeiro.

Apesar disso, os incentivos para a mudança de hábitos não garantem que essa transição seja fácil, livre de percalços e recaídas. Durante a realização de minha pesquisa na Bahia, um acidente de trânsito na localidade vitimou Soraya, uma menina de 6 anos, que acabou tendo seu antebraço direito amputado, o que trouxe novos custos financeiros e também emocionais para seus pais. À época do acidente a família da menina frequentava uma igreja pentecostal pequena, mas bastante ativa. No período imediatamente após o acidente, a mãe de Soraya recebeu acolhimento da congregação, mas depois de algumas semanas ela passou a postar no Facebook mensagens reclamando de fofocas que circulavam entre os fiéis da própria igreja. Essas fofocas diziam que o acidente com a menina tinha sido uma punição de Deus pelos pecados que a mãe teria cometido antes de se converter. Após alguns meses a família de Soraya tinha se distanciado da igreja, o casamento dos pais se desfez, e Soraya e a mãe se mudaram para outra localidade.

23. Estado de bem-estar informal

Uma das acusações mais frequentes, feitas aos evangélicos nas próprias vizinhanças em que vivem, é que eles não fazem aquilo que pregam por não praticarem a caridade cristã. Segundo este argumento de quem não é evangélico, Cristo viveu para ajudar o próximo, enquanto o evangélico ajuda apenas a si mesmo, a outros evangélicos e a seus parentes. Escutei essa reclamação muitas vezes, conversando com pessoas durante minha pesquisa de campo.

A crítica sugere a ideia de que o evangélico exibe um sentimento de superioridade em relação a quem não é evangélico; uma superioridade que pode ser de ordem moral e também associada a suas conquistas materiais. A percepção de superioridade aponta como o evangélico não se mistura com outras pessoas "do mundo", "se acha" melhor do que os outros, e por isso não quer que seus filhos convivam e criem amizades com pessoas de fora de suas igrejas, "para não se exporem às más companhias".

Em vez de fazer o bem ao próximo, indepentemente de quem seja ele, a percepção é que o evangélico só é caridoso com outros evangélicos. O Catolicismo e o Espiritismo Kardecista atuam desenvolvendo e mantendo programas abertos para a sociedade, especialmente para os mais pobres, e não exigem para isso que o beneficiado se converta. Essas organizações financiam abrigos, creches, orfanatos, programas de prevenção ao suicídio, entre outras ações. Para os meus vizinhos que viviam naquela localidade em Salvador e que não eram evangélicos, evangélicos são hipócritas, porque falam de Cristo, se promovem como pessoas moralmente superiores, mas suas práticas não correspondem àquelas relacionadas ao perdão e à caridade ensinadas por Jesus.

A ideia deste capítulo é falar sobre a igreja evangélica como um espaço que, na localidade em que se instala, cumpre a função de estado de bem-estar social informal. Mas para fazer isso, antes vale a pena examinar esse tipo de crítica mencionado acima, que é bastante comum e tem sua coerência dentro de uma perspectiva católica sobre a obrigação da caridade.

Um dos meus interlocutores na localidade, o pastor e teólogo batista Claudio Moura, interpreta essas críticas dizendo que elas desconsideram o caráter individualista desta tradição, que está alinhado com a maneira como os protestantes entendem a caridade.

No protestantismo, a ajuda verdadeira que pode ser dada a outra pessoa é que ela se torne cristã. Ele explica: "As virtudes mais admiradas pelos católicos são as boas obras. Entre nós, evangélicos, é a confissão pública de fé". Por isso, "quando alguém não quer fazer uma mudança de atitude, qualquer outra tentativa de fazer o bem a essa pessoa serviria apenas para prolongar um sofrimento". O sofrimento só pode ser sanado quando se aceita Jesus como senhor e salvador pela cerimônia do batismo. Veremos este mesmo tema com mais detalhes na Parte 6 deste livro, sobre a atuação de evangélicos na "reciclagem de almas", feita em prisões e cracolândias. Nos vários casos mencionados, a caridade começa com a conversão.

Ainda assim, igrejas de grande porte, como é o caso da Universal, oferecem programas sociais que incluem apoio a pessoas em situação de rua e a dependentes químicos, ajuda a mulheres vítimas de violência e iniciativas para reintegrar à sociedade pessoas que estiveram presas e cumpriram suas penas. Segundo dados oficiais da organização, 10,8 milhões de pessoas foram beneficiadas com esses programas em 2018 e nem todas são adeptas da Universal.

A caridade protestante também está nas redes de ajuda mútua, formadas dentro da igreja. A pesquisa da antropóloga Cynthia Sarti, na periferia de São Paulo, mostra como vizinhos nos bairros pobres reproduzem vínculos de solidariedade e ajuda mútua, semelhantes aos vínculos familiares que esses migrantes tinham em suas terras de origem. A igreja — evangélica, católica ou outra — existe também como ponto constituidor dessas redes. Como as igrejas evangélicas são muito mais numerosas nas periferias do que as igrejas católicas, mais pessoas acabam beneficiadas com esse tipo de ajuda. Como o pesquisador das religiões Flávio Pierucci registrou: "As igrejas evangélicas oferecem às famílias que chegam e que não têm familiares morando próximo acesso rápido a novas redes de apoio".

As igrejas evangélicas — juntamente com os bares e as próprias vizinhanças — são os espaços de socialização mais comuns nas periferias. Eles estão presentes mesmo em áreas recentemente ocupadas, muitas vezes antes da chegada de serviços como água encanada, eletricidade e pavimentação das ruas. Mas as igrejas têm uma atitude empreendedora e evangelista que amplia sua oferta de ajuda onde o Estado não está presente. Estudos como o de Martijn Oosterbaan, da Universidade de Utrecht, na Holanda, registram como "nos cultos das pequenas igrejas, os pastores escutam as pessoas, doam cestas básicas e oferecem assistência social, além de um serviço espiritual que se propõe a ajudar na resolução de problemas cotidianos".

O sociólogo David Smilde menciona, entre as conclusões de pesquisas sobre o fenômeno evangélico na América Latina, a importância das igrejas evangélicas ao oferecer redes de apoio a migrantes vindos do meio rural para as cidades. Ele explica: "Essas redes dão recomendações e informações sobre empregos, fazem pequenos empréstimos, oferecem outras formas de assistência e, portanto, são fundamentais para a sobrevivência e o progresso socioeconômico dos setores populares. Sem essas redes, os indivíduos enfrentam oportunidades reduzidas de vida. Além do ambiente de solidariedade, as normas rigorosas de comportamento pessoal do movimento evangélico servem de credencial de capacidade de trabalho e honestidade num cenário instável em que o trabalho costuma ser temporário e ninguém sabe quando precisará de apoio social".

Por isso o antropólogo Maurício de Almeida Prado, especializado no segmento popular, descreve as igrejas evangélicas como uma espécie de serviço do bem-estar social informal em suas comunidades, por oferecerem ajuda material e imaterial, de conforto emocional a comida.

Nessas redes de ajuda mútua é comum as pessoas compartilharem entre si oportunidades de trabalho, caronas emergenciais a hospital, doação de cestas básicas a desempregados; oferecerem intermediação no caso de conflitos conjugais ou com vizinhos, e ajuda para consultas a médicos ou advogados ou para encontrar vaga em clínica de reabilitação, entre muitas outras possibilidades. Algumas igrejas incluem em suas atividades regulares acompanhar os serviços governamentais responsáveis por adoção e anunciar durante os cultos as crianças à espera de pais adotivos, convidando os fiéis a considerar esta atitude. É comum as igrejas oferecerem cursos de alfabetização a adultos que se sentem excluídos durante os cultos por não acompanharem as leituras da Bíblia, feitas pelo pastor, por não saberem ler.

Um dos problemas atuais das famílias que chegam do interior para refazer a vida nas cidades tem a ver com o fato de pais e mães ficarem fora durante o dia e os filhos, impedidos legalmente de trabalhar até os 16 anos, ficarem desacompanhados nesses bairros. Nesse contexto, a igreja evangélica aparece ainda como um espaço que promove atividades diárias — ensino de música, canto, dança e reforço escolar — para envolver esses jovens, sendo uma alternativa para quem considera envolver-se em atividades ilícitas. Esse tipo de atividade é comum a ponto de muitos músicos profissionais de orquestras sinfônicas terem começado seus estudos nas igrejas e aprimorado suas técnicas por meio de cursos em escolas de música particulares, pagos pela congregação.

Outra situação comum, pensando as igrejas como redes de ajuda mútua, é que algumas denominações estimulam as adolescentes a estudar pedagogia e depois empregam essas professoras formadas em escolas que funcionam dentro das igrejas. A disponibilidade desses serviços, que também incluem creches, fortalece os vínculos entre os membros da igreja e também são atrativos para famílias que não pertencem à igreja se aproximarem.

24. Incentivos para estudar

A antropóloga Clara Mafra escreveu sobre a influência de protestantes históricos na construção e manutenção de instituições de ensino na época em que, em geral, não havia escolas disponíveis para as camadas médias no Brasil. "A transferência que ocorreu, quase imediatamente, do prestígio das escolas para os protestantes levou vários de seus líderes a defender a educação como chave-mestra da transformação da sociedade brasileira — questão sempre enfatizada no projeto missionário."

As primeiras igrejas protestantes abertas para brasileiros, no século 19, atraíam trabalhadores urbanos por contradizerem a lógica segregacionista que separava "cultos" e "ignorantes". Mafra conta que "no interior das igrejas evangélicas as escolas dominicais muitas vezes se transformavam em salas de aula, multiplicando o acesso aos raros cursos de alfabetização".

Mas, apesar de o protestantismo ser frequentemente associado à promoção da educação, é importante examinar essa ideia indo além de lugares-comuns para considerar como essa tradição religiosa existe e se manifesta no dia a dia das camadas populares brasileiras. E a primeira questão a ser examinada, para falar da consequência do protestantismo na promoção da educação formal, é como o brasileiro das camadas populares percebe a escola.

A pesquisa da americana Elizabeth Kuznesof concluiu que famílias populares no Brasil historicamente preferem que seus filhos sejam educados no sentido prático e moral oferecido dentro da família. Essa educação suspeita da vantagem de mandar filhos para a escola e prefere, então, vê-los trabalhando desde cedo junto com seus parentes.

Considerando esse contexto, faz mais sentido, por exemplo, ouvir pessoas de origem trabalhadora atribuírem grande prestígio à educação, mas terem uma atitude diferente sobre o tema. Na prática, o entendimento que elas demonstram é que o estudo fará pouca diferença na melhora de condições de vida da família. Elas sabem que para trabalhar em um escritório a pessoa depende de certos contatos e também ser "apresentável" segundo os critérios de quem contrata.

No bairro em que pesquisei, o número de estudantes vem aumentando desde o fim dos anos 1980, porque as crianças em idade escolar foram gradualmente ganhando acesso a escolas próximas de suas casas. Hoje, elas também recebem do governo uniforme e material escolar, têm transporte de ida e volta para casa e ainda um lanche no intervalo. Mas, mesmo assim, a escola é um espaço que gera muita tensão entre moradores e a equipe pedagógica — tensão que diminui no caso de famílias evangélicas.

Conforme analisei no livro *Mídias Sociais no Brasil Emergente* (2018), de minha autoria, nessa localidade a principal demanda dos pais não é que os filhos tenham aulas de qualidade; muitos veem as escolas como lugar para cuidar dos filhos enquanto os adultos da casa estão fora trabalhando — portanto, a escola para eles é uma espécie de creche para adolescentes.

Nesse contexto, a influência do protestantismo aparece principalmente na mudança de atitude da família, que passa a ver a educação como parte do processo de disciplinamento dos jovens. Evangélicos adultos se esforçam para aprender a ler e poderem consultar a Bíblia sozinhos, e assim geralmente ficam mais bem treinados para acompanhar e cobrar resultados de seus filhos nas escolas.

Esses evangélicos também percebem a educação, ela mesma, como um item de consumo diferenciador, que exibe prosperidade ao demonstrar que o indivíduo deixa a condição de "ignorante" e tem acesso a outras possibilidades de trabalho. Esse avanço confere à pessoa a possibilidade de "trabalhar sentado" em um escritório, em vez de ser um trabalhador braçal à disposição dos chefes como animais de carga.

Para os evangélicos dessa localidade na Bahia, concluir os estudos torna-se um elemento que demonstra a bênção de Deus na vida do cristão; e essa conquista exterioriza também a ideia neopentecostal de que a melhora moral da pessoa via conversão e participação nos cultos se reflete na melhora de suas condições materiais.

Em resumo, a entrada para a rotina da igreja impacta a família a ponto de ela ter menos desconfiança na educação oferecida na escola e o jovem evangélico poder se diferenciar dos outros. Geralmente ele apresenta mais bagagem educacional, que pode lhe conferir *status* social dentro de sua comunidade, como ter trabalho especializado, ser mais bem remunerado, contar com as vantagens que vêm com o trabalho formal (seguro-desemprego, férias etc.) e ter o luxo de trabalhar sentado, seja em um escritório, um posto de saúde, uma agência bancária ou em um balcão de atendimento.

É importante considerar, no entanto, que a atenção dada à educação é diferente, dependendo da tradição da qual faz parte cada igreja evangélica. Saber ler para ler a Bíblia é um aspecto essencial, mas algumas denominações valorizam mais especificamente o ato de estudar, e isso se materializa na abertura de escolas e universidades — como é o caso de presbiterianos, batistas, adventistas, luteranos e metodistas.

Em muitos outros casos, a pessoa estuda não por princípio, por entender que esse envolvimento com a educação seja uma coisa importante. O aumento da escolaridade, para a maioria, é um desdobramento da disciplina conquistado a partir do convívio dentro da igreja. E mesmo no caso de uma tradição meritocrática como a neopentecostal, que associa a devoção religiosa ao progresso financeiro, à melhoria de condições de vida, a educação não é vista como um valor especial. Nesse e em outros casos, a educação pode ser percebida apenas como um instrumento prático que conduz a pessoa a um trabalho mais bem remunerado. Mas se o crente tiver ambições intelectuais e estiver "estudando demais", a conclusão é que o estudo vai afastá-lo(a) da fé.

Não são apenas as famílias evangélicas que percebem a educação como um valor positivo. Convivi durante a pesquisa com famílias de outras religiões ou que não frequentavam igrejas e ainda assim exigiam que seus filhos estudassem. Mas entre os mais pobres e mais ligados ao mundo da informalidade, a entrada para a igreja evangélica traz consequências em termos de ganho de escolaridade. Isso, no entanto, tem menos a ver com o fato de a pessoa "entender o valor da educação".

O aspecto da leitura da Bíblia entre evangélicos pode ser um ponto de partida para a leitura de outros livros. Se por um lado a biblioteca pública da localidade em que pesquisei tinha fechado (e ninguém reclamava disso), havia no bairro uma pequena livraria especializada no comércio de bíblias e outros livros sobre temas cristãos ou de autoajuda. Nessa localidade em que a maioria das famílias recebe até dois salários mínimos, o consumo de livro fazia parte somente da rotina de alguns evangélicos. A leitura da Bíblia ocasionalmente servia de degrau para a pessoa perceber e usar livros como meio de instrução e entretenimento. E, como mostro no capítulo seguinte, essa educação parece estar beneficiando especialmente as mulheres.

25. Maior igualdade de gênero

A ideia de que a igreja evangélica reduz as diferenças e desigualdades nos papéis do homem e da mulher, dentro de casa e também na sociedade, deve soar estranho para quem não é evangélico. Isso porque muitas pessoas das camadas média e alta entendem que as igrejas estimulam as mulheres a cultivar valores como docilidade, submissão à vontade do marido e abnegação. A conclusão desse argumento é que a igreja promove posturas entre as mulheres, que fortalecem o modelo da sociedade patriarcal, em que o homem adulto exerce as funções de liderança política e econômica e detém a autoridade moral; e no âmbito da família mantém a autoridade sobre as mulheres e as crianças.

De fato, considerando a aplicação de referências bíblicas sobre os papéis distintos de homens e mulheres dentro e fora das casas, na igreja evangélica o homem geralmente é quem tem a última palavra nas decisões familiares. As mulheres também têm restrições nas igrejas em relação, por exemplo, a ocupar cargos que tenham homens como subordinados, desempenhar tarefas consideradas masculinas, e até para tocar alguns instrumentos que são exclusivos do homem. Por isso, o empoderamento apresentado a seguir é, geralmente, difícil de ser reconhecido por quem parte da perspectiva da mulher das camadas média e alta, que conquistaram espaço fora do âmbito doméstico. Na perspectiva dessas mulheres mais escolarizadas, pode causar surpresa que os resultados das pesquisas concluam, por exemplo, que o pentecostalismo tem valores menos machistas do que os que predominam no Brasil.

É importante mencionar que as análises acadêmicas sobre esse tema não são consensuais. Uma parte dos pesquisadores, principalmente das pesquisadoras que estudam as relações de poder entre homens e mulheres, faz distinção entre mudanças de situação mais ou menos imediatas que reduzem a situação de submissão da mulher dentro da sociedade, e ações que transformam a sociedade buscando eliminar a desigualdade baseada em gênero.

Dependendo de quem faz a análise, essas transformações nas relações entre homens e mulheres nos lares cristãos eventualmente se encaixariam na primeira categoria, mas não na segunda. E existem estudos que sugerem que — em vez de fortalecer a mulher em relação, por exemplo, ao tema da violência doméstica — a religião contribui para que esses casos de violência sejam silenciados e não cheguem ao conhecimento das autoridades. Isso aconteceria por pressão da congregação ou pela difusão de ideias de comportamento feminino ligadas à abnegação, doçura e submissão ao marido.

Também é importante ter cuidado ao fazer generalizações sobre este assunto. Conforme vemos ao longo deste livro, o termo "evangélico" é disputado e usado por ramos diferentes do cristianismo, e dentro desses ramos existem centenas de igrejas. O ambiente de determinadas organizações pode ser diferente no que tange ao espaço que as mulheres podem ocupar.

O objetivo deste capítulo, no entanto, é confrontar esses dados e análises mencionados nos dois últimos parágrafos com — por exemplo — as conclusões de Ricardo Mariano, professor do Departamento de Sociologia da USP, que credita a expansão do cristianismo evangélico a um "incansável, eficiente e vigoroso proselitismo, levado a cabo também por leigos, especialmente as mulheres. São elas que recrutam e convertem seus maridos, filhos, vizinhos e colegas de trabalho". Se a mulher evangélica não se sente fortalecida por sua aproximação com a igreja, por que ela está à frente do trabalho voluntário de trazer seus amigos, familiares e vizinhos para frequentar os cultos e as atividades evangelizadoras? E por que, entre pentecostais — grupo mais pobre e numeroso entre os evangélicos —, o número de mulheres é quase 20% maior do que o de homens?

O sociólogo americano David Smilde resume em um parágrafo o conjunto dos estudos mais recentes sobre este tema, realizados por cientistas sociais: "As dificuldades da vida urbana empobrecida costumam transformar os ideais patriarcais num complexo de prestígio masculino chamado de 'machismo'. O homem 'machista' costuma gastar na rua recursos que deveriam ser direcionados ao lar. E a busca de conquistas femininas produz conflito com a esposa que não se dispõe mais a tolerar o padrão duplo patriarcal. As mulheres sofrem não só com os homens machistas, mas também com a falta de oportunidades culturalmente legítimas de participar de organizações externas à família. O trabalho de campo verificou que a participação no movimento evangélico leva os homens a se concentrarem na esfera doméstica; confirma a liderança masculina e, ao mesmo tempo, oferece nova base para a autonomia feminina; e permite às mulheres uma forma de participação relativamente não ameaçadora para os homens que aspiram controlá-las".

A questão, que geralmente é ignorada por quem percebe o fenômeno evangélico a distância, é como a influência da igreja demanda uma reconfiguração mais radical da identidade masculina. A antropóloga Maria Campos Machado resumiu essa conclusão assim: "O pentecostalismo combate a identidade masculina predominante na sociedade brasileira, estimulando os homens a serem dóceis, tolerantes, carinhosos, cuidadosos". Não é por acaso que uma consequência comum da entrada da família para a igreja seja o arrefecimento da violência doméstica — que é um aspecto presente e comum nas relações de casal nas camadas populares.

Para falar, então, sobre essas mudanças na identidade do homem e da mulher, devemos começar mencionando brevemente como a família é a principal referência social das camadas populares. Nesses contextos sociais, as relações constituídas entre pessoas, por exemplo, entre vizinhos ou nas igrejas nos bairros populares, se baseiam na formação de vínculos e hierarquias semelhantes aos familiares, de apoio e dependência mútua. E por tradição nessa ordem familiar, a mulher é preferencialmente responsável pela casa e pela família, enquanto o homem é responsável pelo provimento material, é a autoridade moral do lar e — ao contrário da mulher — tem trânsito livre pelos espaços públicos.

A partir desse contexto, os antropólogos da religião que estudam as camadas populares apontam que a conversão do homem e da mulher para a fé evangélica tem motivações diferentes. Um aspecto importante da entrada (ou do retorno) da mulher para a igreja é lidar com o sofrimento dentro da ordem familiar, causado por brigas e traições de seu parceiro. E ao fazer isso, mesmo sem romper com o padrão subordinado da identidade feminina na sociedade, a mulher precipita atualizações no relacionamento com o marido dentro de casa e também com a sociedade no espaço público.

Nos ambientes de convívio social de mulheres das camadas média e alta, a visão predominante é que nos casos de tensão entre casais, especialmente aqueles marcados pelo uso de violência pelo homem, a solução deve ser a quebra dos vínculos afetivos com o parceiro abusivo e, portanto, o fortalecimento da autonomia como caminho para reconstruir a autoestima da vítima. Essa perspectiva, entretanto, não se alinha à solução estimulada dentro das igrejas evangélicas, de reconstruir os laços familiares "ganhando o marido no silêncio" para mudar o comportamento do agressor. A transformação proposta é agir, pela adesão à religião, e isso, segundo pesquisas recentes dentro das camadas populares, fortalece a posição da mulher na família e aumenta sua autoridade moral.

Essa conclusão vai ao encontro da análise do sociólogo inglês David Martin, um dos principais estudiosos do pentecostalismo no mundo. Ele explica que apesar de o pentecostalismo promover uma atitude claramente conservadora em termos de relações entre homens e mulheres, as mulheres constituem a maioria dos membros seja na China, na Índia, na África ou na América Latina. Para Martin, essa predominância de mulheres nas igrejas pentecostais, que pode chegar a 75% dos membros, tem a ver com a crença de que elas têm mais dons espirituais do que os homens e que as igrejas ampliam suas possibilidades de atuação para além das restrições tradicionalmente aceitas fora das igrejas.

Essa conclusão também aparece nas pesquisas da antropóloga Márcia Thereza Couto. Conforme ela explica, a mulher que adere a igrejas pentecostais ganha maior autonomia ao se tornar a mediadora em relação ao sagrado dentro de casa. E esse poder cresce à medida que ela consegue, como uma estratégia de proteção da família, motivar a conversão de seu parceiro.

A conversão masculina aumenta indiretamente o poder feminino na relação, na medida em que o homem abre mão de ficar na rua, que é seu espaço de liberdade, anonimato, farra, bares, relacionamentos paralelos, levando essa sociabilidade para o ambiente mais controlado da igreja. Esse tipo de consequência explica por que existem mais mulheres do que homens identificados como evangélicos, e por que parece ser mais comum a conversão do homem ter a participação da mulher do que o contrário. O sociólogo britânico David Lehmann, da Universidade de Cambridge, explica que apesar de poucas mulheres atuarem como pastoras, elas são ativas dentro de suas igrejas e desempenham papéis importantes na organização de atividades em suas comunidades.

Durante a pesquisa, presenciei uma conversa de evangélicas das camadas populares que ecoa essas conclusões sobre a reconfiguração das relações homem-mulher ao reeducar o homem para o convívio familiar. Uma dessas evangélicas tinha sido chamada por uma vizinha de "recalcada" — uma sugestão de que a vida sexual dela era monótona e reprimida. Diante dessa provocação, ela respondeu na mesma moeda: "Pelo menos sei onde meu marido está agora. Você sabe onde anda o seu?".

Até aqui falou-se essencialmente do pentecostalismo, mas existem também estudos sobre as relações entre mulheres e homens nas igrejas neopentecostais. As conclusões da antropóloga Jacqueline Moraes Teixeira, da USP, vão ao encontro das análises apresentadas na parte anterior do capítulo. Ela se interessou pelo tema das relações de gênero entre evangélicas ligadas à Igreja Universal quando leu uma série de textos do bispo Edir Macedo, publicados a partir de 2007, defendendo a descriminalização do aborto. Essas posições foram revistas recentemente por Macedo em função do desafio da Universal de se aproximar de pentecostais no contexto da eleição que levou Marcelo Crivella, bispo da mesma organização, a ser eleito prefeito do Rio de Janeiro. Mas esse conteúdo assinado pelo bispo Macedo acendeu a curiosidade da antropóloga para abrir canais de diálogo com mulheres da Universal, e esse convívio se tornou o ponto de partida para a sua pesquisa de doutorado.

O desafio dessa pesquisa, como o das anteriores mencionadas neste capítulo, foi analisar a experiência da mulher evangélica, que evolui de contextos e experiências diferentes dos das mulheres das camadas média e alta da sociedade brasileira. Se na lógica das mulheres com maior escolaridade a solução para questões como a violência doméstica é a separação do casal, o caminho de empoderamento das mulheres da Universal passa por uma defesa da reeducação e de uma redomesticação do homem evangélico, para fortalecer as bases de uma família heterossexual saudável.

Nesse sentido, mesmo considerando que as mulheres não são reconhecidas como bispas ou pastoras nessa igreja, a instituição pressiona a mulher a continuar estudando para ocupar posições institucionais. Considerando as condições limitadas da ação do Estado nos bairros periféricos, Teixeira sugere que é na igreja — e não na escola — que a mulher recebe a iniciação civil relacionada, por exemplo, a aprender a guardar dinheiro. A igreja ainda oferece cursos de formação em esteticista, um setor de serviço que cresceu no Brasil e se tornou um campo para o empreendedorismo feminino nas camadas populares.

A Universal também tem um grupo de atendimento a mulheres em situação de violência deste 2011, para oferecer aconselhamento psicológico e jurídico para quem não tem condições de pagar por esses serviços. A reflexão que emerge desses grupos não necessariamente aponta para a necessidade de proteger a mulher como sujeito civil. A crítica é direcionada ao reconhecimento de que a família heterossexual não é saudável e que o homem que compõe essa família precisa ser reeducado para conviver com sua esposa e filhos. Por isso, ele é pressionado a dedicar seu esforço para estudar e trabalhar. Essa visão é sustentada institucionalmente na Universal, por exemplo, na medida em que um homem que é acusado de violência doméstica não pode ser pastor. Ela explica: "Por um lado, há o reconhecimento da violência, da necessidade de se acionar a Justiça e considerar o divórcio; mas, por outro, a Universal se distancia das pautas feministas e a violência de gênero passa a ser tratada como pauta fundamental à construção da família heterossexual".

Teixeira conta ainda que, graças ao trabalho evangelizador da ex-dançarina e modelo Andressa Urach, esse projeto sobre a importância da reeducação do homem para o convívio familiar se expandiu para presídios femininos. Urach ficou 25 dias internada na UTI em 2014 por causa de uma infecção generalizada provocada por um implante de silicone na panturrilha. Depois de se converter pela Universal, ela lançou a autobiografia *Morri Para Viver* (2015), que teve mais de 400 mil cópias vendidas. O livro ecoa a ideia de que a mulher é vítima na sociedade por causa de violências e abusos.

O perfil típico desse homem é representado por Marley, com quem convivi nesse bairro da periferia de Salvador. Marley é um taxista, dono de um pequeno lava-jato e professor de capoeira nas horas vagas. Assim como seu pai ao longo da vida, Marley sempre teve duas casas: a "titular" e a "reserva", como dizia. Ele não se esforçava para manter isso em segredo, principalmente nas conversas nos bares com outros homens, que é onde passava muitas horas diariamente. Cláudia, sua atual parceira, tinha sido a amante de Marley por alguns anos, mas a rotina de infidelidades eventualmente levou ao rompimento dele com a parceira anterior e Cláudia assumiu esse posto. E a partir desse momento, segundo Marley, a vida sexual exuberante que levavam acabou, principalmente depois do nascimento do filho do casal.

Marley dizia que continuava morando na mesma casa com Cláudia apenas por causa do filho que ainda era um bebê, mas o respeito entre eles tinha acabado. Nos momentos em que estavam juntos, quando não estavam brigando, eles não falavam um com o outro. Até que um dia Marley me contou que a parceira estava frequentando os cultos na Assembleia de Deus. A princípio, ele percebeu essa mudança como a confirmação do processo de distanciamento entre os dois. Mas essa opinião foi gradativamente mudando, e ele passou a admitir que o ambiente da igreja estava influenciando positivamente sua mulher, e eles já não brigavam.

Como apontam as referências de pesquisas mencionadas ao longo do capítulo, a influência da igreja transforma esse comportamento de rivalidade, e a mulher adota uma postura menos confrontadora com o parceiro e suas rivais. Isso não significa que mulheres como Cláudia sejam forçadas a se manter passivas dentro de seus relacionamentos. Dependendo da rede de suporte que a mulher tenha e da disposição do marido em modificar suas práticas, pode se tornar vantajoso abrir mão do casamento, sair de casa com os filhos e ficar disponível para um novo parceiro, muitas vezes um "varão" da mesma igreja que ela frequenta.

Esse caso etnográfico tem paralelos com os de mulheres pobres na Bolívia, registrados em um estudo de 1990. A antropóloga americana Lesley Gill relatou como, nas localidades que ela estudou em La Paz, as mulheres geralmente não tinham a ajuda de pais e maridos para manter sua família; e que em geral as mulheres pertencentes à Igreja Pentecostal Unida, que ela estudou, não eram casadas nem mantinham relação estável com um homem. Nesse contexto, a igreja oferecia a esse grupo uma base institucional para desenvolver relações sociais duradouras de ajuda mútua entre elas. A participação nos cinco cultos semanais abria a possibilidade para elas conviverem, criarem laços e constituir um sentido de comunidade.

Juliano Spyer

Gill concluiu também que o aspecto predominantemente emocional do culto pentecostal libertava essas mulheres para expressarem "o desespero e a desesperança que outrora atormentavam suas vidas. A paz e a felicidade que elas ganharam depois de um encontro surpresa com Deus mudaram-nas para sempre". Ao mesmo tempo, esse grupo valorizava a mensagem passada no ambiente das igrejas aos homens, para se absterem de pecados como álcool, cigarros, jogos de azar e relações extramatrimoniais, cultivando qualidades tradicionalmente "femininas". Por isso, essas mulheres pentecostais tinham maior chance de encontrar companheiros "domesticados" entre os fiéis do sexo masculino do que entre homens que não faziam parte da igreja.

Em resumo, a adoção do cristianismo evangélico geralmente amplia a esfera de atuação da mulher para além da vida doméstica e da responsabilidade de criar os filhos para incluir também trabalho formal e atuação em espaços públicos. O trabalho formal oferece o tipo de segurança financeira que tradicionalmente dependia da presença do parceiro.

E além do trabalho, a evangélica encontra na igreja um espaço em que a mulher também pode atuar, por exemplo, como evangelizadora, pregadora e mais recentemente como militante política para defender candidatos da igreja. E se o seu parceiro for crente, os recursos vindos do trabalho do casal passam a ser investidos na melhora da casa, em atividades familiares e, se for o caso, para financiar a educação superior dos filhos.

Como testemunho, posso dizer que desenvolvi relacionamentos de confiança no bairro apenas com mulheres evangélicas. Fora desse ambiente, esse tipo de proximidade entre homem e mulher era rapidamente interpretado como um indício de infidelidade e podia causar problemas para ambos. Também é válido notar que, apesar de a cultura das igrejas manter a ideia do homem como cabeça da família, as famílias evangélicas que conheci estimulavam particularmente filhas a fazer faculdade, na medida em que o homem comprometido tem maior pressão para começar a trabalhar e oferecer o sustento da família.

26. Notas sobre sexualidade e homoafetividade

A imagem do crente, principalmente para quem não convive nem simpatiza com ele, é a do puritano, para quem o sexo é um grande tabu e deve ser praticado apenas com finalidade reprodutiva, mas nunca por prazer. Mas algumas evidências de minha pesquisa de campo indicam, mais uma vez, que precisamos evitar os estereótipos. A vida sexual do crente pode ser mais intensa do que muitos imaginam.

A Assembleia de Deus, igreja que frequentei mais assiduamente, realizava retiros reunindo casais para conversar sobre sexo. Esses eventos aconteciam fora do bairro, para criar um distanciamento das famílias e facilitar as dinâmicas de grupo e estimular os participantes a compartilhar seus sentimentos, desejos e também suas dificuldades de comunicar isso ao parceiro ou à parceira.

Não acompanhei esses eventos, mas entendo que eles acontecem como uma motivação que surge no mundo evangélico de forma mais ampla para fortalecer a família e promover a cumplicidade do casal. As congregações maiores organizam grupos de conselheiros que promovem retiros e recrutam psicólogos especializados para atuar em cursos de casais. Essas atividades são oferecidas a jovens que querem se casar, para prepará-los para os desafios da vida nessa nova condição. Tais eventos estão disponíveis também para casais com problemas de relacionamento e que usam esses serviços para tentar evitar a separação.

Conforme referências de pesquisa citadas até aqui, a mulher das classes populares que adota o cristianismo evangélico geralmente cultiva e exibe posturas de submissão à autoridade do marido, inclusive em relação à visão sobre o sexo. Seguindo o mesmo entendimento compartilhado pelas não evangélicas, as evangélicas repetiam a ideia de que o "homem tem suas vontades" e que elas precisavam ser satisfeitas pela mulher. Segundo esse raciocínio, essa disponibilidade para satisfazer o homem é essencial para que ele não procure relacionamentos paralelos. E segundo revendedoras de produtos eróticos no bairro, as evangélicas estavam entre as clientes assíduas para incorporar novas experiências durante a relação.

Já nas denominações protestantes históricas, onde há uma proximidade maior de debates e pontos de vista compartilhados nas camadas escolarizadas, a igreja evangélica pode ser até mais explicitamente um espaço para a disseminação de ideias feministas. Conforme disse a antropóloga Elizete Ignácio, que cresceu frequentando a igreja Batista, em uma conversa:

"Minha primeira classe sobre educação sexual foi na igreja, quando adolescente. E ainda hoje está entre as melhores que ouvi. Ouvir que a virgindade era um valor para meninos e meninas, que mulheres podiam ter 'vontades' e o marido deveria satisfazê-las (ainda que só após o casamento) foi mais libertador que ler Foucault. Sem falar que enquanto os pais não evangélicos mandavam as filhas para o altar, os meus trabalhavam 12 horas por dia para eu ir pra faculdade".

Em relação ao tema da homoafetividade, a maioria das igrejas cristãs ainda rejeita o casamento *gay* e a ordenação de pastores homossexuais por verem isso como sendo incompatível com os ensinamentos bíblicos, mas essa perspectiva vem mudando, particularmente nos contextos mais urbanos e escolarizados. Por causa dessa mudança de perspectiva, a partir da segunda metade do século 20, diversas denominações protestantes históricas, especialmente nos Estados Unidos e na Europa, se abriram para a ordenação não apenas de pastoras, mas de pessoas da comunidade LGBT.

POVO DE DEUS

A primeira denominação protestante histórica a ordenar um pastor assumidamente homossexual foi a United Church of Christ, em 1972. Denominações mais tradicionais seguiram esse caminho já no século 21, inclusive a Evangelical Lutheran Church in America e a Igreja Presbiteriana dos Estados Unidos. Outros países em que igrejas protestantes ordenam pastores e pastoras homossexuais e transgênero incluem Alemanha, Reino Unido, França e países nórdicos.

Na Alemanha, a Igreja Luterana, que representa o início da Reforma Protestante, abriu-se à ordenação de mulheres na década de 1940. Em 2015, elas representavam um terço dos clérigos dessa denominação no país. Em 2013, os luteranos alemães incorporaram diretrizes novas para descrever uma família de maneira abrangente, como sendo qualquer núcleo em que haja amor, e não apenas aqueles formados pela união entre homens e mulheres.

Fundada em 1968, a Metropolitan Community Church é uma igreja predominantemente LGBT. Com o nome de Igreja da Comunidade Metropolitana (ICM), essa organização abriu sua primeira unidade no Brasil há 13 anos com o objetivo de acolher a diversidade sexual e de gênero. Outro grupo ligado a causas progressistas é o das Evangélicas para Igualdade de Gênero. Mas, conforme vimos em capítulos anteriores, esses grupos progressistas geralmente estão ligados a evangélicos das camadas média e alta, enquanto as igrejas com público de origem popular tendem a defender pautas conservadoras no campo da moral. No Brasil, a Igreja Cristã Contemporânea (ICC) e a Igreja da Comunidade Metropolitana (ICM), que não discriminam a homoafetividade, vêm se expandindo por vários estados, especialmente nos centros urbanos.

Mesmo no ambiente das igrejas pentecostais e neopentecostais, a questão da homossexualidade tem se infiltrado, com a presença mais ou menos tolerada de *gays* e lésbicas ganhando espaço nas congregações, mesmo que o tema seja tratado como um "segredo aberto" entre eles. Um caso desse convívio crescente aparece, por exemplo, na Igreja Batista da Lagoinha, que tem células ocupadas por evangélicos homossexuais, o que não é reconhecido pela igreja, mas também não é combatido ou rejeitado.

O assunto da homoafetividade nas igrejas evangélicas brasileiras emergiu nacionalmente no fim de 2019, em virtude de um encontro entre o ex-atleta olímpico Diego Hypólito e o presidente Jair Bolsonaro. O ginasta, que assumiu meses antes ser *gay*, recentemente se tornou evangélico da Bola de Neve Church, uma igreja pentecostal com apelo para jovens que querem a fé evangélica, mas não os dogmas e tradicionalismos das outras igrejas.

Após o encontro com Bolsonaro, vídeos e fotos postados nas mídias sociais mostraram Diego e o namorado em um culto íntimo com a primeira-dama, Michelle Bolsonaro, no Palácio do Planalto. O evento causou maior repercussão na comunidade *gay* por causa do encontro do atleta com o presidente, acusado muitas vezes de ser homofóbico, do que na mídia evangélica.

Essa tolerância confirma as conclusões apresentadas por pesquisadores da USP e da Unesp de que em 2017, "ao contrário do que poderia apontar o senso comum, as opiniões desses fiéis têm mais matizes com respeito à questão de gênero e de direitos das minorias LGBT do que o alinhamento fechado da influente bancada evangélica no Congresso".

Ainda sobre o tema da homoafetividade, a historiadora e evangélica Olívia Dias chama a atenção para a diferença entre igrejas que apenas aceitam participantes heterossexuais; igrejas que aceitam a homossexualidade, mas pregam o celibato ("Deus ama o pecador, mas não o pecado"); as igrejas que acolhem o fiel, mas não concordam com a prática; e as igrejas progressistas, que aceitam casamento gay, divórcio, poliamor, mudança de sexo, etc. Ela explica que a perspectiva das igrejas evangélicas históricas ou pentecostais tende a ser conservador em relação a pautas morais. Para esse grupo majoritário, as igrejas progressistas distorcem ou ignoram as orientações bíblicas para o estilo de vida que o cristão deve levar.

27. A teologia da prosperidade

A contribuição clássica para entender a relação entre protestantismo e capitalismo foi publicada em 1905 como estudo sobre a ética protestante. Seu autor, o sociólogo alemão Max Weber, argumenta que o progresso econômico dos protestantes resulta de um estilo de vida austero que não rejeita o convívio em sociedade com pessoas de outras religiões, mas se relaciona com o mundo por meio do trabalho e da produção de riqueza.

Como já vimos na Parte 1 deste livro, o neopentecostalismo associa a proposta de experiência direta, pessoal e emotiva com Deus, de origem pentecostal, com a ideia de que a conversão conduz ao progresso financeiro. Mas teologia da prosperidade não seria o mesmo que a ética clássica protestante, na qual o fiel melhora de vida do ponto de vista econômico por uma conduta metódica no trabalho. Para o neopentecostal, a conversão e a adoção da prática religiosa são recompensadas por Deus via ascensão financeira. Em vez de promover a dedicação metódica ao trabalho, o neopentecostal é estimulado a atuar de maneira empreendedora para enfrentar as adversidades da vida. Para o antropólogo Ronaldo de Almeida, "enquanto o protestantismo histórico defende que o enriquecimento é fruto do trabalho, a teologia da prosperidade enfatiza a ideia de que é preciso empreender, tornar-se patrão. [...] Nessa lógica, os problemas não são dificuldades ocasionadas pela estrutura social, mas advêm da falta de esforço individual".

A teologia da prosperidade se popularizou por chegar ao Brasil em um momento histórico favorável. Segundo a antropóloga

Diana Lima, o sucesso desse movimento religioso no Brasil nas populações de baixa renda reflete o contexto nacional nas últimas décadas do século 20. O empreendedorismo promovido pelo neopentecostalismo via promoção de valores como aspiração individual e busca de prosperidade se articulou bem com o período de recessão econômica dos anos 1980 e 1990, e com o período de expansão do consumo nos anos 2000.

Há muitas causas apontadas para justificar a prosperidade financeira que esses novos protestantes — e particularmente os neopentecostais — conquistam. Um estudo recente realizado no Brasil explica que em países periféricos, igrejas neopentecostais "alcançam sucesso exatamente onde a população aprende a se submeter a um alto nível de controle como uma estratégia para ter acesso a 'bens sociais'". Essa disciplina adquirida influencia o desempenho da pessoa no trabalho. É importante, entretanto, examinar com atenção essa ideia de prosperidade, porque ela é frequentemente apresentada de maneira simplificada para atacar as pessoas envolvidas com igrejas neopentecostais.

Primeiro, a prosperidade é vista dentro de um plano de salvação do espírito que começa a partir da vida na Terra. Ter melhores condições socioeconômicas não é incompatível com a ideia de vida cristã, porque a segurança, a alimentação e o acesso à educação — na lógica do neopentecostalismo — ajudam a pessoa a ter uma vida cristã. A disciplina e o esforço para abraçar valores e ideais cristãos se fortalecem quando a pessoa está menos vulnerável socialmente, tem uma casa, está empregada, pode estudar e tem comida na mesa.

Há ainda um segundo aspecto, que também é frequentemente ignorado por quem ataca o neopentecostalismo. A teologia da prosperidade não se refere apenas à prosperidade financeira. A meta única não é ganhar dinheiro, mas viver melhor — em termos de saúde, vida familiar, afeto e também dinheiro. Essa visão aparece, por exemplo, em como os cultos da Igreja Universal, a principal representante do neopentecostalismo no Brasil, cada dia da semana têm finalidades específicas que vão além da dimensão financeira: há o culto do sucesso, o culto da cura, o culto da salvação e o culto do amor.

É importante registrar, conforme mencionamos na primeira parte deste livro, como as críticas à teologia da prosperidade não acontecem apenas dentro de círculos não evangélicos. Pentecostais e especialmente protestantes históricos frequentemente rejeitam a ideia de que a conversão possa ser justificada por uma ambição de prosperidade material. Muitos entendem que a melhora de condições pode acontecer como consequência de uma vida mais regrada e pela influência da igreja, por exemplo, na promoção da educação formal. Mas a finalidade da conversão, para eles, não deveria ser associada à prosperidade material, ou seja, a prosperidade financeira não deve ser a demonstração de que a conduta da pessoa está sendo abençoada por Deus.

Dito isso, há evidências de que a teologia da prosperidade esteja influenciando as práticas de neocarismáticos (protestantes históricos influenciados pelo pentecostalismo) e que pentecostais estejam dando mais importância para a prosperidade material e que dentro de suas igrejas a promoção de valores modernos tenha se tornado uma motivação para os setores vulneráveis buscarem o progresso financeiro pelo empreendedorismo.

Em síntese, a rejeição da teologia da prosperidade, vinda principalmente de setores médios e altos da sociedade, tem um elemento de hipocrisia associado a uma cultura originalmente católica. O incômodo em relação à teologia da prosperidade seria uma desaprovação a que o pobre ambicione para si aquilo que faz parte da vida dos brasileiros mais ricos, como viajar de avião, fazer turismo no exterior e consumir produtos caros.

Não se trata, portanto, de defender a visão neopentecostal, mas de adicionar alguma ponderação para que o evangélico neopentecostal não seja visto apenas a distância, descrito de forma estereotipada como um mercador da fé ou como um iludido manipulado. Mas esse olhar de dentro do fenômeno neopentecostal não tira a possibilidade de se criticar, por exemplo, o projeto de poder dessas igrejas, que será examinado na última parte deste livro. Ou de se questionar a promoção de uma perspectiva individualista que está preocupada com a própria prosperidade e entende que a existência de desigualdades é um aspecto natural da vida.

Podemos, sim, discordar da perspectiva neopentecostal de que a desigualdade seja um elemento da vida social e que cada um deve aprender a se adequar a esse mundo competitivo para sobreviver e prosperar.

Considerando a complexidade de todo fenômeno social de grande escala, como é o caso do neopentecostalismo, os casos apresentados neste capítulo nos dão uma perspectiva de por que a teologia da prosperidade tem prosperado no Brasil (trocadilho não intencional) e nos informa que quem se envolve com esse ramo do cristianismo evangélico não é necessariamente enganador ou ingênuo, mas uma pessoa que quer viver melhor e se esforça para atingir essa meta.

É a mesma conclusão registrada por Caetano Veloso, que participou de reuniões em igrejas neopentecostais acompanhando pessoas próximas a ele; e a partir dessas experiências, entendeu que "a teologia da prosperidade é [uma ideia que soa] grosseira. A combinação dos dois termos assusta a gente e, no entanto, tem algo de positivo até nisso. É toda uma área da população brasileira que nunca foi assistida pela estrutura da sociedade brasileira, que se recusa ainda hoje a abolir de fato a escravidão. Tem toda uma área dessa gente oprimida e não estimulada que recebeu uma notícia de que elas podem se respeitar. Podem criar autorrespeito, autoajuda e ajudar os seus próximos e conhecidos. Inclusive [fazer isso pregando que se tenha] responsabilidade no trabalho e isso de fato gera prosperidade".

PARTE 5:
A religião mais negra do Brasil

Tudo que quando era preto era do demônio
E depois virou branco e foi aceito eu vou chamar de Blues
É isso, entenda
Jesus é blues

—
Baco Exu do Blues, Bluesman

28. Uma alternativa aos espaços segregados

A relação do protestantismo com o tráfico de escravos foi ambígua. Famílias e Estados protestantes estiveram à frente do lucrativo comércio de africanos para colonos nas Américas ao mesmo tempo em que ideais protestantes serviram para criticar e atacar como "anticristã" a brutalidade no tratamento dos cativos. O romance *Gilead*, que rendeu o prêmio Pulitzer em 2005 à americana Marilynne Robinson, registra as memórias de um pastor evangélico cujo pai, também pastor, lutou na Guerra Civil americana por entender que era uma obrigação cristã combater a escravidão.

Último país a proibir a escravidão, o Brasil já tinha 60 igrejas protestantes no período mais ativo do movimento abolicionista, e essa comunidade de cerca de 3 mil pessoas evitou se envolver com a causa para além da discussão no âmbito espiritual.

O historiador Alec Ryrie cita dois artigos de um jornal protestante que circulava no país: um, de 1878, argumentava que a verdadeira escravidão é a opressão católica; e outro, de meados de 1880, recomendava respostas comedidas e argumentos calmos sobre o tópico. Mas se os representantes do protestantismo optaram por evitar se envolver com a causa abolicionista, a postura que eles promoviam na relação entre as pessoas dentro de suas igrejas atraía as pessoas livres sem posses, aquelas que não eram escravas, mas não tinham dinheiro nem educação e por isso também eram estigmatizadas.

A antropóloga Clara Mafra explica que na missa católica no século 19, esses brasileiros pobres eram constantemente lembrados de sua condição de cidadãos de segunda categoria, porque era esperado que cedessem seus lugares para as pessoas importantes da sociedade, como sinal de respeito. Por isso, os pobres frequentemente ficavam de pé no fundo da igreja. Já nos cultos protestantes sentava-se quem chegava primeiro, independentemente da condição socioeconômica ou do prestígio.

Se na missa católica o pobre era constrangido a manter a posição de subordinado e, portanto, inferior, no culto evangélico as pessoas eram tratadas da mesma maneira. Esse foi, Mafra conclui, um atrativo importante para a popularização da fé protestante no país.

Esse registro histórico sobre o tratamento recebido pelos católicos praticantes das camadas inferiores tem reverberações na atualidade. Uma senhora da Igreja Batista que entrevistei disse que, na sua juventude, ela e as amigas visitavam outras igrejas evangélicas depois do culto de domingo, mas que ela nunca ousou assistir a uma missa católica por medo de como seu pai reagiria. Para ele, o catolicismo era a religião dos ricos.

Esse relato coincide com a conclusão de um dos principais estudiosos do pentecostalismo global, o sociólogo inglês David Martin, que caracteriza a "explosão de protestantismo" na América Latina nos anos 1980 como uma "religião dos pobres" em sociedades nas quais a Igreja Católica estava, muitas vezes, enraizada no conservadorismo social das elites políticas e econômicas. Ele descreve o pentecostalismo como religião "pregada em linguagem simples, com exemplos simples, por pessoas simples para pessoas simples", mas que tem o potencial de elevar os pobres à classe média, ou seja, de proporcionar a seus adeptos uma ruptura com o passado estigmatizado de quem vive como cidadão de segunda categoria, para alcançar novos patamares na sociedade.

O protestantismo trouxe para o Brasil não apenas uma alternativa ao cristianismo católico, mas também a promoção de valores individuais característicos das sociedades modernas. A antropóloga Maria Campos Machado escreveu sobre o consenso que existe entre antropólogos no Brasil de que "a expansão do pentecostalismo é uma expressão dessa tendência nas camadas populares". E ela continua: "Afinal, a decisão de tornar-se pentecostal em uma sociedade majoritariamente católica exprime não só uma opção consciente e deliberada do indivíduo, mas também uma tensão entre este e o mundo social mais amplo. Dito de outra maneira, a adesão ao pentecostalismo representa uma ruptura com as expectativas sociais e simultaneamente um corte na própria biografia do indivíduo". Parar de frequentar a missa é um ato de rebeldia em uma república cuja separação da Igreja do Estado "não pôs fim aos privilégios católicos e nem à discriminação estatal e religiosa às demais crenças".

29. Trânsito religioso, convívio

A pesquisa realizada em um bairro da periferia do Recife pela antropóloga Márcia Thereza Couto registrou que o pluralismo religioso das famílias locais é a norma e não a exceção. "As pessoas aderem, ao logo da vida, a diferentes sistemas de crenças e práticas, configurando um panorama que se mostra caótico para quem se coloca como observador pouco sintonizado com as transformações recentes no campo religioso." Ela nota ainda que esse tipo de trânsito religioso se dá nos mais diferentes níveis de comprometimento, envolvendo desde fiéis dedicados, passando por simpatizantes e também usuários ocasionais de serviços mágico-religiosos disponibilizados na localidade.

O fenômeno descrito acima é comum, principalmente para quem vive na base da pirâmide social do país. Isso pode ser visto, por exemplo, em *Santo Forte* (Eduardo Coutinho, 1999), um documentário sobre religiosidade popular. Vários dos entrevistados se identificam como católicos, mas muitas vezes não frequentam missas; eles são de fato envolvidos com religiões de matriz africana — que chamam cautelosamente de "espiritismo". E junto com essas duas referências principais, a da igreja católica e a do terreiro, os participantes entrevistados por Coutinho também circulam, motivados por situações e contextos diversos, por centros kardecistas e por igrejas evangélicas.

O trânsito religioso é, muitas vezes, visto de maneira achatada e simplista, como se denotasse um utilitarismo, como se as pessoas ficassem mudando de igreja porque não têm compromisso, porque não têm um sentimento religioso "verdadeiro", estando interessadas em apenas tirar proveito materialmente. As antropólogas Cecília Mariz e Maria das Dores Machado escreveram sobre o caso de pessoas que estão em busca de soluções para seus problemas e por isso mudam de igreja. Elas fazem várias tentativas até encontrar o que melhor atende suas necessidades em contextos específicos da vida. Daí podem sair e eventualmente voltar.

Outro motivo de troca de igreja é a mudança de bairro. Mesmo que no bairro novo exista a mesma igreja, a pessoa pode não se adaptar bem àquele grupo e preferir encontrar outro lugar, talvez pela presença de parentes ou outras pessoas próximas a ela, para vivenciar sua fé já dentro de um círculo social constituído.

Em muitos casos, a visão que prevalece é a de que o importante é ir para a igreja, porque as classificações não têm importância quando vemos as práticas da religiosidade popular. Uma amiga relatou, por exemplo, sobre sua assistente de casa, que era católica, mas que por conveniência assistia à "missa" na Universal. Sem se importar se aquilo era missa ou culto, se a igreja era católica ou protestante, ela estava interessada no ritual.

Além desse pluralismo religioso, existem também outras maneiras com que pessoas ligadas a tradições ou igrejas diferentes se aproximam e convivem. Se em alguns casos há famílias que aderem conjuntamente à mesma prática religiosa, em outros casos a fronteira separando evangélicos e não evangélicos passa dentro da casa das pessoas.

Uma das pessoas mais pobres com quem convivi durante a pesquisa foi Nádia, uma mulher negra de 43 anos. Ela estava vivendo na época com seu terceiro parceiro, uma vez que os dois anteriores tinham morrido por causa de problemas de saúde. Nádia tinha seis filhos com idades que variavam de 3 a 27 anos de idade, e todos coabitavam um terreno ocupado ilegalmente pela família.

Nádia é filha de santo e mantém sua prática participando periodicamente de cerimônias no mesmo terreiro próximo à favela onde morou por muitos anos em Salvador. Jonathan, o terceiro filho de Nádia, de 17 anos, começou a frequentar uma igreja evangélica batista revivida e hoje se converteu e participa assiduamente dos cultos. Em relação a isso, Nádia diz que ele faz pressão para ela também passar a ir aos cultos, mas ela nem se incomoda com essa atitude do filho nem acha ruim que ele seja evangélico. Ela entende que frequentar a igreja evangélica faz bem para ele, porque Jonathan conseguiu um emprego, está prosperando no trabalho, não se envolve com crime nem precisa ter medo da polícia.

Pedro, o marido de Nádia, é alcoólatra. Ela explica que se ele quisesse acompanhá-la ao terreiro, ele poderia ser curado desse problema, mas ele não quer ir. Ao mesmo tempo, Soraya, sua filha de 11 anos, recentemente passou a acompanhar Jonathan para frequentar também a igreja. Ela vai atraída por vizinhos da mesma idade, cuja família é evangélica, e também pelas atividades que estão disponíveis ali para crianças e adolescentes. Ela está engajada nas aulas de dança, e sua mãe aceita e estimula que participe das atividades da igreja.

No contexto desse bairro popular da Bahia, adultos que passam muitas horas fora de casa confiam que suas crianças e adolescentes estejam na escola durante metade do dia, mas se preocupam com seus filhos no restante do dia, porque não existem muitas alternativas de atividades para o período depois ou antes da escola. Nádia diz que fica tranquila que sua menina, que está se tornando adolescente, frequente os cultos, esteja envolvida com evangélicos e participe das aulas de dança. Como ela mesma explica, quanto mais tempo Soraya passa na igreja, menos ela fica sem supervisão fora de casa.

Em resumo: o interesse por grupos e tradições religiosas, muitas vezes, não é excludente, e as pessoas se permitem buscar soluções que incorporam mais de um caminho. E as fronteiras de convívio podem existir dentro das casas das pessoas, com pais, tios, primos e irmãos tendo preferências diferentes e ainda assim interagindo no dia a dia.

Para muitas pessoas, fazer parte de uma igreja não significa um compromisso que não pode ser rompido. Fiéis mudam de igreja, às vezes motivados por uma disputa com outro membro. Às vezes o crente "se desvia" e para de frequentar a igreja. Um dos pais de santo do bairro em que morei se envolveu e se distanciou da Igreja Batista duas vezes até se firmar no candomblé.

Esses "trânsitos", muitas vezes, não acontecem rapidamente e envolvem causas diferentes: disputas, problemas de saúde e outras dificuldades que a pessoa esteja atravessando. O homem pode se sensibilizar para a mensagem evangélica por estar desempregado ou vivendo problemas de alcoolismo. A mulher pode estar vivendo situações de depressão ou ansiedade ou se sentindo vulnerável por causa de uma doença na família ou pela traição recorrente do marido. E existem ainda graus de participação nas igrejas que variam desde a pessoa que vai ao culto ocasionalmente, frequenta ao mesmo tempo mais de uma igreja ou frequenta o culto evangélico com assiduidade apenas por não ter uma igreja católica por perto, entre outras possibilidades de relação com as rotinas e atividades oferecidas pela igreja.

30. A religião dos afrodescendentes

O historiador da religião Alec Ryrie aponta que, apesar de o "fogo do avivamento" cristão ter inspirado o surgimento de várias igrejas nos Estados Unidos ao longo do século 19, o "fogo" que se espalhou pelo país e se alastrou pelo mundo partiu de um foco: o do trabalho de dois pregadores negros americanos, nos primeiros anos do século 20, no evento conhecido como o Reavivamento da Rua Azusa. "Eles eram um grupo minúsculo, pobre, negro e predominantemente composto por mulheres — a própria escória da humanidade", que se instalou em uma igreja abandonada em Los Angeles, conta Ryrie. Percebendo essa mistura de influências, um pastor de uma igreja vizinha à da Rua Azusa, em Los Angeles, classificou o tipo de culto realizado por esses primeiros pentecostais como sendo "uma fusão nojenta de superstição vudu africana e insanidade caucasiana".

Em relação a essa história, a *Enciclopédia do Protestantismo*, no verbete sobre o pentecostalismo, registra que a teologia pentecostal é a única denominação cristã mundial fundada por um negro, o evangelista William James Seymour (1870-1922). Segundo a mesma publicação, o movimento nasceu nos Estados Unidos em 1906 do sincretismo da espiritualidade afro-americana presente em elementos do catolicismo e do protestantismo metodista.

Todas as denominações pentecostais clássicas têm suas raízes nesse experimento. E as razões para o sucesso desse grupo parecem estar relacionadas a uma combinação rara, principalmente nos Estados Unidos, que é o fato de se constituírem como uma congregação multirracial liderada por pastores negros.

Essa associação entre o pentecostalismo e a religiosidade afro também é mencionada pelo teólogo e pastor batista brasileiro Marco Davi de Oliveira. Quem entra em uma igreja pentecostal pode notar elementos da religiosidade afro, por exemplo, na oralidade da liturgia e na teologia, na substituição de conceitos abstratos por testemunhos, e na recorrência do uso de descrições e cantos.

É possível considerar, nesse contexto, como tradições profundas da religiosidade de origem africana tenham ampliado ou facilitado a ligação dessa igreja com fenômenos de êxtase religioso, patentes no pentecostalismo. Na antropologia, o vínculo entre o pentecostalismo e religiões de matriz afro, como candomblé e umbanda, foi estudado em relação a ritos de possessão, por exemplo, por Patricia Birman.

As disputas entre evangélicos e representantes da religiosidade afro são consequência da incorporação destas religiões ao culto pentecostal. Para o antropólogo da religião Martijn Oosterbaan, "em vez de descartar as crenças e práticas religiosas afro-brasileiras, a Igreja Universal incorpora as entidades espirituais adoradas no candomblé e na umbanda e as representa como demônios. A desgraça e a miséria são assim transmitidas como consequências das práticas religiosas afro-brasileiras. Os demônios, ou encostos, são responsabilizados por prejudicar fisicamente os indivíduos que possuem e são responsáveis por impedi-los de alcançar fortuna e felicidade nesta vida e salvação no futuro.

Ainda em relação à ligação entre o pentecostalismo e as tradições afro, o historiador Marcos Alvito lembra que nas igrejas neopentecostais o combate a cultos afro-brasileiros acontece ao mesmo tempo em que a igreja incorpora práticas mágicas advindas das religiões de matriz afro, cujo significado é invertido de negativo para positivo. Nesse contexto, por exemplo, o banho de ervas, que nos cultos afro nas igrejas evangélicas são "macumbaria", se torna o "sabão ungido" disponível para os fiéis.

Como fenômeno característico do pentecostalismo, o "falar em línguas estranhas" é associado ainda, nesse momento de gestação da tradição, com a atividade missionária. Mesmo essas línguas não sendo úteis para a comunicação com outros povos, a ética pentecostal se caracterizou desde o princípio por preferir abrir novas igrejas e disseminar a palavra de Deus a gastar o dinheiro das doações embelezando as igrejas já existentes. Por isso, apesar de o movimento ter se tornado gradativamente mais ligado a pessoas brancas nos Estados Unidos, missionários dessa tradição rapidamente começaram a viajar pelo mundo.

Em 1909, italianos vindos dos Estados Unidos fundaram a partir da grande comunidade italiana vivendo no Sudeste brasileiro a Congregação Cristã no Brasil. E em 1910, missionários suecos vindos também de Los Angeles foram acolhidos por uma missão protestante sueca batista instalada em Belém do Pará. No ano seguinte eles romperam com essa organização para fundar a Assembleia de Deus, que é a principal denominação evangélica brasileira hoje em termos numéricos.

Se a religiosidade afro está presente na raiz do movimento pentecostal, não é de surpreender que ela mobilize a atenção de pessoas identificadas com essas possibilidades, inclusive de comunicação com o mundo espiritual e de incorporação espiritual em um contexto de culto que envolve expressões de emotividade pelo choro fervoroso, pela prece falada, pela expressão física dos sentimentos, pela interlocução constante entre pregador e sua audiência e pelo uso ritual de canto e dança. Mas, além dessa identificação pelas práticas religiosas, o pentecostalismo também se popularizou entre afrodescendentes por se oferecer como remédio para pessoas em situação de vulnerabilidade social.

Como vimos anteriormente, a igreja evangélica cresceu nas periferias urbanas, onde nem o catolicismo estava presente para atuar. Para Ronaldo de Almeida, professor do Departamento de Antropologia da Unicamp, o crescimento, especialmente do pentecostalismo nas regiões periféricas, está relacionado ao aumento da violência associada ao tráfico de drogas. Ele explica que "muitas pessoas, para se sentirem mais seguras ou até mesmo para se afastar do crime, buscam refúgio nas igrejas evangélicas, onde encontram um sentido e uma identidade para suas vidas ou até mesmo uma espécie de salvo-conduto".

Para os muitos negros e pardos que são encarcerados ou se tornam dependentes de drogas baratas como o *crack*, o pentecostalismo constitui hoje um caminho para a reintegração à sociedade. É esse o assunto da parte a seguir, intitulada "Reciclagem de almas". O tema está ligado ao analisado nesta seção, porque a criminalidade associada ao tráfico de drogas e consequentemente à prisão de criminosos está relacionada, em debates acadêmicos, a questões raciais.

PARTE 6:
Reciclagem de almas — traficantes e cristianismo

O inimigo espreitava as condições sociais que compõem as favelas..., prontos para agarrar garotos solitários e famintos de amor. Ele cumpriu promessas fáceis de segurança e liberdade, de felicidade e de retribuição. ... Ele construiu em suas vítimas personalidades quase impossíveis de alcançar. Ele jogou em torno desses meninos uma parede de dureza grossa e protetora: ele os deixou orgulhosos de serem duros.

David Wilkerson
A Cruz e o Punhal

31. A fé atrás das grades

Entre os motivos destacados pelo sociólogo David Smilde para a conversão ao cristianismo evangélico está a violência relacionada a diversas formas de conflito político. Smilde explica, citando trabalhos-chave abordando esse tema, sobre a América Latina, que "quando se torna evangélico, o indivíduo é efetivamente extraído de interação violenta ampliada; não é mais considerado ameaça nem oportunidade por nenhum dos lados". A pesquisa em contextos urbanos mostra um fenômeno semelhante no caso da violência nas cidades: a conversão ao movimento evangélico oferece aos homens um caminho para sair das situações eivadas de conflitos. Na década de 1990, a onda de crimes nas sociedades latino-americanas só fez aumentar a importância dessa questão para os pobres e os evangélicos da região.

O sociólogo da religião Andrew Johnson é um dos acadêmicos que estudaram recentemente a relação entre crime e conversão ao cristianismo. Ele fez dezenas de entrevistas, acompanhou a vida de presidiários e de ex-presidiários brasileiros e até buscou experimentar a rotina de ser um preso no Brasil. Como pesquisador, ele obteve permissão para morar durante duas semanas dentro de cadeias, dormindo em celas, ao lado de presos comuns.

A questão que ele tentou responder com seu trabalho foi: por que o pentecostalismo é muito mais praticado por detentos, em termos numéricos, do que outras religiões como o catolicismo, as religiões de matriz afro ou o espiritismo? Em outras palavras, o que torna essa vertente do cristianismo evangélico tão atrativa para pessoas nessas condições?

Em seu livro, *If I give my soul: Faith behind bars in Rio de Janeiro*, Johnson conta histórias como a de Márcio, jovem integrante do Comando Vermelho, com quem o pesquisador conviveu durante seu trabalho de campo. Em resumo, Márcio se converte na cadeia, mas ao ser liberto e retornar para a favela onde nasceu e cresceu, se envolve de novo com o crime. Algum tempo depois de ter sido solto, ele e um amigo andavam pelas ruas estreitas da comunidade e percebem o louvor vindo de uma igreja e se aproximam para escutar. Márcio tinha fumado muita maconha naquela noite, então as lembranças ele conta são fragmentadas, mas ele lembra que foi reconhecido por um amigo que cumpriu pena com ele. Esse homem se aproximou, apesar de Márcio estar com um fuzil nas costas, colocou a mão em seu ombro, fez uma oração e profetizou: "Em cinco dias, sua vida, sua história toda vai mudar".

Esse acontecimento voltou para a mente de Márcio quando, cinco dias depois, ele estava dando entrada de novo como preso no presídio de Bangu. Mais que uma coincidência, Márcio interpretou o encontro na porta da igreja como uma tentativa de Deus falar com ele. Naquele instante, na fila de ingresso na cadeira e na frente de outros detentos, ele se ajoelhou e pediu ajuda a Deus para mudar sua situação.

Os presos que "aceitam Jesus como seu salvador", como Márcio, fazem do seu processo de ligação com a religião algo público, para ser mostrado como testemunho para os outros presos. Afinal, o evangélico é também aquele que evangeliza, que se apresenta como alguém resgatado de uma situação pessoal ruim (crime, dependência química, doença, abandono familiar, entre outras situações) e que por isso, por gratidão e por conhecer pessoalmente o poder divino, se torna um emissário da palavra de Deus.

Nas cadeias, os presos convertidos não apenas mudam seu comportamento — abrindo mão de beber ou usar as drogas que circulam dentro dos presídios —, mas também se reúnem para fazer orações, cantar hinos e falar de suas experiências anteriores à conversão. Nessas situações, conforme registra o estudo de Johnson, muitos choram efusivamente lembrando de episódios de suas vidas, dão consolo uns aos outros, compartilham seus momentos de dificuldades e assim fortalecem seus vínculos.

Durante esses cultos ou atividades, que acontecem em ambientes coletivos da prisão, há um momento em que o pastor pergunta se Jesus está conversando com o coração de algum dos presentes — presos que não são convertidos, mas que se aproximaram para acompanhar o culto — para essa pessoa deixar o Espírito Santo transformar sua vida. É nesses momentos que outros presos começam a considerar a possibilidade da conversão.

Nas entrevistas feitas por Johnson, os presos convertidos frequentemente contam que não aguentavam mais sua situação. Conforme um preso convertido explica: "A verdade é que eu já estava cansado da vida que estava vivendo. Eu não sabia a quem pedir ajuda e me sentia desesperado, em um beco sem-saída. Eu estava procurando por alguma coisa que me desse apoio, algo que me ajudasse. Eu vi os irmãos da igreja e vi a sinceridade deles e vi a devoção deles a Deus".

O preso que está atravessando essa situação de frustração com sua condição pode ver os cultos dentro dos presídios como um chamado. Ele se aproxima gradualmente e, ao se sentir mobilizado pela mensagem do pastor ou pelos testemunhos de outros presos, declara o desejo de aceitar Jesus como seu salvador. Quando isso acontece, o preso é rodeado pelos outros evangélicos, que fazem uma oração — cheia de carga emotiva, também um evento público na frente dos outros —, o que muitas vezes faz o novo convertido desmaiar.

No caso de presos que trabalharam para o crime organizado, Johnson relata que, ao levantar do desmaio, esse convertido vai aos representantes do grupo criminoso ao qual ele está vinculado, algumas vezes por muitos anos, e anuncia a decisão de romper a ligação com eles para se dedicar a Deus e aos aprendizados de sua nova vida como cristão, o que não sempre é aceito pela organização criminosa, como veremos nas próximas páginas.

O estudo de Johnson explica que o caminho evangélico também atrai pessoas do crime organizado pelo fato de a igreja representar uma organização parecida com a do crime em termos de estrutura de funcionamento e modo de agir. Os participantes ganham acesso a áreas exclusivas de convívio, como membros unidos pela obediência a regras que dão uma identidade conjunta para agirem com a mesma lealdade de soldados no campo de batalha. Essa ideia também será relatada na pesquisa sobre o PCC, feita pelo antropólogo Gabriel Feltran, professor e pesquisador da UFSCar, apresentada no capítulo 34 deste livro.

Outra comparação feita por Johnson é a de como a prisão para o convertido se torna uma espécie de monastério, um espaço para o preso convertido se distanciar da vida social. Nesse ambiente protegido, longe de sua vida até aquele momento, o preso encontra uma oportunidade de recondicionar seus hábitos para viver segundo as regras da sociedade.

32. "A fé das pessoas matáveis"

Por que o pentecostalismo é adotado por tantos presos e o que eles percebem que podem ganhar escolhendo seguir esse caminho? Segundo o sociólogo Andrew Johnson, existem evidências abundantes de que igrejas evangélicas, particularmente as pentecostais, empoderam (fortalecem) brasileiros estigmatizados socialmente e que historicamente não têm voz na sociedade.

Segundo ele, o pentecostalismo serve como uma comunidade alternativa da qual detentos podem escolher participar para sobreviver ao cotidiano brutal das cadeias e penitenciárias brasileiras. (O mesmo argumento pode ser aplicado ao brasileiro que está livre, nas ruas, não comete delitos, mas está constantemente vulnerável e exposto a situações de violência, doença, dependência química, problemas familiares, desemprego e falta de dinheiro, entre outros problemas comuns no dia a dia dos moradores das periferias.) Mas o motivo mais importante do sucesso dessa religião nas cadeias, segundo Johnson, é ela ser a "fé das pessoas matáveis".

A escolha pelo pentecostalismo — principalmente, mas também por outras manifestações do protestantismo — pode ser vista como uma escolha estratégica. A partir dessa perspectiva, inclusive para o grande número de afrodescendentes nas prisões brasileiras, o pentecostalismo levanta a bandeira de que toda pessoa é merecedora de dignidade.

Apesar das críticas a seu conservadorismo moral, pentecostais geralmente estão na linha de frente para atuar junto com as pessoas que a sociedade descartou. O cristianismo evangélico atinge esse objetivo, segundo Johnson, oferecendo "um sistema de crença e uma série de práticas que permitem que o detento incorpore uma identidade nova e reconhecível publicamente" de maneira a prover essas pessoas com dignidade. De uma pessoa que vive a condição de cidadão de segunda categoria, ela se torna um homem ou uma mulher "de Deus", que deixa de ser temida ou mantida a distância.

A conversão oferece ao detento uma "comunidade imaginária" na qual valores e pontos de vista são abraçados coletivamente de maneira que eles disseminem e pratiquem entre si atitudes para sobreviver nas condições mais precárias oferecidas na conjuntura de desigualdade do Brasil atual.

Por exemplo, o detento abdica do consumo de álcool e outras drogas que podem ser o gatilho para ações violentas. Eles também são motivados a passar mais tempo com suas famílias — e não nas ruas. As redes de ajuda mútua existentes dentro das igrejas podem abrir oportunidades para trabalho remunerado quando o detento cumpre sua pena e retorna à sociedade. E finalmente, a quantidade de atividades rotineiras nas igrejas pentecostais serve para ajudar na transição do momento em que o preso sai da cadeia e precisa voltar ao convívio dentro de sua comunidade. No âmbito da igreja, essa conversão sinaliza o poder de Deus ao mudar a vida das pessoas, mesmo daquelas com as histórias mais difíceis e problemáticas.

33. Uma proteção para quem deixa o crime

Em uma das passagens mais citadas e repetidas da Bíblia (Mateus 19:24), Jesus teria dito: "É mais fácil um camelo entrar pelo buraco de uma agulha do que um rico entrar no Reino de Deus". Essa imagem também serve para descrever como a conversão do criminoso abre um caminho possível, mas improvável, de volta ao convívio social fora da cadeia e do crime. Improvável, porque a saída não depende simplesmente do desejo do criminoso de se reabilitar. Essa transição geralmente precisa ser aceita pelos membros da organização à qual ele pertence; precisa também ser reconhecida pelos membros das organizações inimigas, que acreditam ter contas a acertar com ele; e precisa acontecer em um contexto em que o ex-criminoso encontre um espaço na sociedade para ocupar e conseguir manter a si e, quando é o caso, sua família. É esse reposicionamento que as igrejas evangélicas conseguem realizar voluntariamente e de maneira muito mais eficiente hoje do que o Estado, sem custos para os cofres públicos.

Fora das cadeias e penitenciárias, pregadores e pastores conquistam respeito entre os moradores das áreas mais marginalizadas

das cidades, até mesmo naquelas controladas por grupos criminosos. Conforme ouvi de evangélicos que tiveram passagens pelo crime, se a devoção do pastor é percebida pelo traficante como sendo genuína, o evangélico passa a ser respeitado como alguém que traz o bem para a comunidade. Ao conquistar esse *status* — e muitas vezes receber a proteção do traficante —, pregadores e pastores evangélicos se tornam uma das raras pessoas que não têm medo do traficante e que, diferente dos agentes policiais, o percebem como alguém que tem sua dignidade e merece a oportunidade de se redimir.

Vários dos evangélicos mais devotos e envolvidos com sua religião que conheci tinham passado por penitenciárias e pertencido a organizações criminosas. Foi o caso de Felipe, membro da Igreja Metodista e sobrinho de uma amiga da Assembleia de Deus. Foi no meio de uma longa conversa que estávamos tendo em uma tarde calma, sentados na calçada, que me dei conta do contraste entre a fala serena desse jovem de 24 anos e seus braços ornados com tatuagens fazendo referências ao crime.

Felipe me contou que durante os anos em que esteve envolvido com o tráfico manteve a ideia da conversão cristã na mente como algo que ele eventualmente faria. Em uma ocasião, depois de perder um primo e um cunhado em trocas de tiro com a polícia ou com grupos concorrentes, ele se viu encurralado pela polícia e com pouca chance de sobreviver. Sobreviveu, e naquele mesmo dia cumpriu a promessa feita a Deus durante o momento crítico do confronto, de abandonar o crime e entrar para uma igreja.

Só que, conforme ele também explicou, sua conversão a princípio não foi suficiente para convencer antigos inimigos a deixá-lo em paz. Os inimigos desconfiam. Para quem está no crime, essa conversão pode ser percebida como uma estratégia de proteção para quem se vê temporariamente vulnerável. Nesses casos, a conversão pode ser um truque para quem precisa dar um tempo.

Juliano Spyer

Composição de fotos que Felipe publicou em seu perfil no Facebook para comunicar sua conversão ao cristianismo evangélico

Para fazer essa transição, Felipe diz que contou com a ajuda do Deus que o resgatou, mas fez uso também de sua inteligência e das possibilidades abertas pelas redes sociais. Como outros na mesma situação, precisou convencer as pessoas do bairro em que vivia que ele já não era o jovem destemido e fora da lei. Por esse motivo, por exemplo, a foto de seu perfil no Facebook era uma composição: à esquerda ele aparece como o criminoso perigoso do passado, e à direita, como evangélico, vestindo uma roupa social, camisa engomada, gravata e a Bíblia na mão.

Não é apenas a igreja evangélica que evita que jovens de bairros pobres se envolvam com atividades ilícitas ou, estando envolvidos, consigam se afastar delas. A capoeira ou o boxe, por exemplo, são práticas conhecidas por oferecer alternativas de trabalho e disciplina em ambientes semelhantes. A diferença, como notou Johnson, está na abrangência desse fenômeno em termos numéricos. Boxe, capoeira, catolicismo, técnicas de meditação — nada disso está tão enraizado nas prisões quanto o cristianismo evangélico, e nenhuma dessas alternativas produz resultados em termos de reinserção do ex-detento na sociedade como o cristianismo evangélico produz.

34. A oração do traficante

No fim da década de 2000, no mesmo período em que foi publicado o artigo "Gangland", apresentado no capítulo 18, a cientista social Christina Vital estava concluindo sua pesquisa de campo sobre o mesmo tema abordado pelo repórter da *The New Yorker*: as relações entre a criminalidade nas favelas cariocas e o cristianismo evangélico. Mas diferente do jornalista americano que entrevistou o traficante Fernandinho Guarabu, cujo trabalho de apuração consumiu talvez alguns meses, Vital se envolveu com esse tema durante quase uma década convivendo com moradores e traficantes nos complexos de favelas de Acari e no Morro Dona Marta no Rio de Janeiro. Seu livro *Oração do Traficante* (2015) foi inovador ao tratar com dados empíricos a relação complexa e polêmica entre o cristianismo evangélico e o crime organizado.

Vital examina como a participação no crime e a conversão podem ser experiências compatíveis. No seu trabalho ela pergunta, por exemplo, por que a religiosidade do traficante não é questionada quando ele frequenta um terreiro de candomblé, mas essa religiosidade é questionada pela sociedade se o traficante escolhe frequentar uma igreja evangélica. Ou seja, existe algo diferente na conversão para o cristianismo evangélico que desperta a suspeita dos brasileiros que observam a vida nas favelas apenas de longe.

Dizer que traficantes vivenciam conversões legítimas ao cristianismo evangélico não é o mesmo que afirmar que esse convívio entre organizações criminosas e igrejas seja livre de tensões e atritos. A força do estudo de Vital está no fato de ela conseguir apresentar perspectivas fora da visão binária entre bons e maus na aproximação entre traficantes e evangélicos.

Christina Vital comenta, em uma entrevista após a publicação de seu estudo, que mesmo seus colegas de academia duvidavam que criminosos pudessem ser de fato evangélicos. Mas, conforme ela explica, "não é só a questão de rezar com a arma na boca de fumo que aparece como algo espetacularizado. Eles vão aos cultos mais de uma vez por semana ou o fazem em suas casas, promovem cultos de ação de graças, vários deles pagam dízimo". Seu livro parte do princípio de que essa aproximação não é necessariamente forjada; que essas não são falsas conversões só porque o traficante não abandona sua atuação ao se aproximar da igreja.

Oração do Traficante registra como o crescimento da influência do cristianismo evangélico, especialmente do pentecostalismo no mundo do crime organizado, é um reflexo da expansão da religiosidade evangélica dentro do mundo popular como um todo. Segundo a pesquisadora, não é que o traficante seja uma exceção porque pratica o crime e se identifica com o cristianismo evangélico. Como todos os outros moradores de periferias e favelas, o traficante também está imerso no mundo popular, onde as igrejas evangélicas são muito presentes. Os traficantes se expõem ao simbolismo e às narrativas evangélicas da mesma maneira que os vizinhos dele, pelo convívio diário com evangélicos, pela presença evangélica na mídia e também pelos cultos diários, que são ouvidos também por quem está nas proximidades das igrejas.

O estudo apresenta como esses relacionamentos entre cristãos e traficantes produzem desgastes para aqueles que se propõem a fazer isso. Há toda uma cadeia de relações mundanas dentro das igrejas e entre igrejas que faz o trabalho de pastores com traficantes ser mais difícil e delicado. Existem muitos lados nessa equação, entre eles, o das igrejas ou de pastores que colaboram com o tráfico (por exemplo, escondendo armas nas igrejas), até o dos segmentos evangélicos do protestantismo histórico que rivalizam com os pentecostais e tendem a não entender nem aprovar esse tipo de ação evangelizadora, defendendo que a igreja se mantenha distante de criminosos e de pessoas associadas a eles.

O trabalho de Christina Vital enriquece nossas possibilidades de observar e examinar esse fenômeno social apresentando as compatibilidades entre esses mundos. Por exemplo, Vital aponta a semelhança entre a perspectiva do traficante, formada pela disputa cotidiana dele com grupos rivais e com a polícia, com a ideia pentecostal da Terra como um lugar da guerra do bem contra o mal, da disputa das almas que podem ser salvas.

Para quem vive o cotidiano dos bairros marginalizados, o encontro do crime com o cristianismo acontece também em função do convívio político dentro dessas áreas — político não no sentido da presença do governo, mas das relações de poder e influência entre grupos que convivem no mesmo espaço. Hoje, o traficante é parte de uma comunidade que está se tornando mais e mais constituída e influenciada pelo cristianismo evangélico. Muitos dos novos negócios que vêm surgindo nesses bairros resultam da ação empreendedora que não é novidade dentro da cultura protestante e dos traficantes. Em um âmbito que não é religioso, traficantes também precisam conviver e agradar esse grupo. E em paralelo a isso, há também os casos de traficantes que já nasceram em lares evangélicos e, portanto, levam para sua atuação no crime essas experiências e referências morais que vêm do pentecostalismo.

Vital ainda aponta para uma compatibilidade entre evangélicos e traficantes na ambição por conquistar vantagens financeiras. O pentecostal não nega o dinheiro, visto como uma demonstração da graça divina, um reconhecimento de Deus por um esforço que o fiel fez e faz. No contexto semelhante da guerra entre o bem e o mal, o envolvimento do traficante com a religião dá a possibilidade de o dinheiro ganho com essa atividade ser legitimado. Essa afirmação pode ser interpretada com ceticismo, afinal o argumento seria que o traficante evangélico legitima sua atuação, até mesmo o aspecto violento de suas ações, porque sua religiosidade vê esses atos como manifestações da vontade de Deus. O que percebemos, no entanto, é como o envolvimento com o cristianismo pode acontecer em muitos níveis; a conversão pode ser sentida com sinceridade e depois recuar; ela pode também evoluir, como nos casos apresentados no contexto da vida nas cadeias citados nos capítulos anteriores; ou a conversão pode ser também uma decisão estratégica que ofereça ao criminoso a possibilidade de sobreviver em momentos de vulnerabilidade, porque — por exemplo — sua organização perdeu espaço entre os grupos que disputam uma área determinada.

Em vez de julgar, *Oração do Traficante* expõe as situações e contextos em que o mundo do tráfico e o do cristianismo evangélico coexistem. A aproximação da igreja não precisa indicar uma transformação imediata, mas pode apontar para o desejo de se desvincular dessa trajetória e começar outra. Vital fala, em relação a isso, sobre como o cristianismo é visto como um meio para se vencer a tentação do dinheiro que atrai a pessoa ao crime. Junto com isso há o aspecto pragmático do tráfico servindo como caminho para se constituir patrimônio, por exemplo, pela compra de negócios como postos de gasolina, que garantam que o distanciamento do crime não vá levar a família do traficante de volta à condição em que estava, de pobreza e maior vulnerabilidade por falta de condições para conseguir trabalhos mais bem remunerados.

35. Irmãos no crime, irmãos em Cristo

O mais recente estudo antropológico brasileiro a chegar a leitores fora dos muros acadêmicos foi *Irmãos* (2018). Publicado pelo professor e pesquisador da UFSCar Gabriel Feltran, o livro examina a organização conhecida como PCC (Primeiro Comando da Capital), que se tornou nos últimos anos uma das organizações criminosas mais importantes e influentes do país. E, como qualquer trabalho atual que tenha a ver com o mundo popular, esse estudo também analisa o cristianismo evangélico.

Inicialmente Feltran contrapõe as soluções oferecidas pelo catolicismo e pelo pentecostalismo para expressar um sentimento de revolta. Essa revolta resulta da percepção da injustiça de quem tem que trabalhar tanto e continuar vivendo em condições ruins, por não poder oferecer aos filhos aquilo que outras famílias conseguem prover, por se perceber preso a uma rotina exaustiva e incapaz de cumprir com obrigações e convenções tradicionais como estar mais em contato com familiares, estar mais presente na vida dos filhos, que passam o dia desacompanhados. Outras dificuldades incluem a falta de equipamentos adequados para atendimento de saúde, problemas com saneamento básico e infraestrutura urbana em geral, dificuldades para transporte, escolas deficientes, falta de vagas em creches e de opções de lazer até a contínua exposição a situações de estresse que podem levar ao desenvolvimento de diversos tipos de patologia.

Dentro da solução para essa revolta proposta pelo catolicismo, o pobre é recompensado com a vida eterna por aguentar privações. A resignação sugerida pelo catolicismo significa, nesses contextos, ter que manter-se íntegro moralmente, dentro das possibilidades, sendo "trabalhador", porque é preferível "pedir a roubar", submetendo-se às vontades e interesses de quem tem mais dinheiro ou poder.

Feltran argumenta que a religiosidade evangélica, em comparação com o catolicismo, funciona como autoajuda e consolação e evita a depressão em que várias das pessoas no entorno caem. O atrativo do pentecostalismo em relação à solução de aguentar o sofrimento para ser premiado na outra vida é proporcionar ao pobre um filtro interpretativo diferente para se examinar a própria situação. A lógica do catolicismo é invertida no pentecostalismo:

a premiação divina não vem depois, mas chega agora. Na perspectiva evangélica, os problemas vividos são fruto da influência do Diabo, que desencaminha as pessoas por meio de tentações relacionadas, por exemplo, ao prazer rápido das drogas e do sexo descompromissado, mas Jesus provê a prosperidade e a paz aqui na Terra para quem agir em seu nome.

Feltran também fala sobre a compatibilidade que existe entre "irmandades", na visão dele, organizações criminosas como o PPC e igrejas evangélicas, ambas em franco processo de expansão nas periferias urbanas. Conforme relata também Johnson nos capítulos 30 e 31, irmandades criminosas e igrejas evangélicas são formas de resistir às opressões cotidianas em um mundo dividido entre o bem e o mal.

Esses mundos, como também nota *Oração do Traficante*, estão em contato por compartilharem os mesmos espaços de vida social. Mas enquanto Vital examina a ida do traficante ao encontro do pastor, Feltran fala do evangélico que procura o traficante. Isso acontece quando, por exemplo, por causa de um roubo, agressão, morte ou coação, a rede de solidariedade evangélica encontra caminhos para levar a queixa a uma autoridade local do mundo do crime para arbitrar o caso e fazer justiça.

Ao mesmo tempo, junto com as muitas possibilidades de diálogo e interação, existe também um tensionamento dentro desses bairros que resulta da disputa política sobre quem, em última instância, tem o poder. Feltran explica que o PCC vem se mostrando mais eficiente e ocupando espaços. Ele conclui: "Baseado em debates e deliberações rápidas, os debates do PCC ofertavam uma possibilidade de justiça popular, mais eficiente que a estatal, para todas as periferias. Os irmãos se tornavam instância de poder importante nos bairros pobres; os moradores admitiram, temeram, consentiram, aprovaram, reagiram".

Lendo esse trecho, lembrei de uma conversa com um amigo, ex-membro de facção criminosa, hoje pastor, com quem convivi durante minha pesquisa de campo na Bahia. Acompanhei pelo Facebook a defesa apaixonada que ele fez, ao longo da campanha presidencial de 2018, em favor do candidato Jair Bolsonaro. Ele mencionou exemplos como o de uma disputa entre evangélicos e criminosos que resultou na casa de um pastor sendo metralhada. Para ele, Bolsonaro representava o único recurso para recuperar um bairro que estava "perdido para o crime". Fortalecer as ações policiais era o caminho que restava para equilibrar as forças nessa disputa entre evangélicos e o tráfico.

PARTE 7:
A esquerda e os evangélicos

Os pentecostais, especialmente mas não apenas na América Latina, são amplamente acusados de apoiar movimentos políticos de direita, imperialistas, neocolonialistas ou autoritários. A verdade é mais interessante que isso.

Alec Ryrie
Protestants: The Radicals Who Made the Modern World

36. Religião e política

O texto sobre política mais lido do jornal *The New York Times* em 2016, ano da eleição que levou Donald Trump à presidência dos Estados Unidos, é de autoria do cientista político e historiador da Universidade Columbia Mark Lilla. Esse artigo responsabiliza os progressistas de centro e de esquerda no país pelo "resultado repugnante" que foi a vitória de Trump. Para Lilla, a candidata democrata Hilary Clinton passou a campanha se dirigindo "explicitamente para afro-americanos, latinos, LGBTs e mulheres eleitoras [...]. Se você vai mencionar grupos na América, é melhor mencionar todos eles. Se você não fizer isso, os que ficaram de fora perceberão e se sentirão excluídos. Que, como mostram os dados, foi exatamente o que aconteceu com a classe trabalhadora branca e aqueles com fortes convicções religiosas. No total, dois terços dos eleitores brancos sem diplomas universitários votaram em Donald Trump, assim como mais de 80% dos evangélicos brancos". O argumento do professor Lilla é que para chegar ao poder é preciso vencer eleições, e para vencer eleições é necessário dialogar com as pessoas diferentes de você.

No mesmo período em que aconteceu a eleição presidencial nos Estados Unidos, o primeiro bispo evangélico foi eleito no Brasil para um posto majoritário em uma capital estadual com a importância simbólica e estratégica que o Rio de Janeiro tem.

Juliano Spyer

A vitória aconteceu no segundo turno contra o então deputado estadual Marcelo Freixo do PSOL. Convidado a analisar os motivos dessa derrota, o sociólogo Roberto Dutra, professor da Universidade Estadual do Norte Fluminense (UENF), argumentou no mesmo sentido de Lilla, responsabilizando a campanha de Freixo por ter, de maneira arrogante, se distanciado do eleitor pobre e evangélico. Em uma entrevista para o periódico *El País*, Dutra questionou o posicionamento de Freixo, que se apresentava como defensor das classes populares, mas que de fato fez uma campanha para as camadas intelectualizadas.

Segundo Dutra, Freixo projetou um sentimento de superioridade moral em relação aos pobres quando, por exemplo, "exigiu, no último debate, que Crivella explicasse e justificasse sua candidatura, como se as pretensões eleitorais e políticas de um político religioso não fossem legítimas pelo simples fato de serem elaboradas em procedimentos democráticos (debate público e eleições)".

No fundo dessa visão estaria o entendimento de que a religião é apenas um fenômeno social, que se pode respeitar, mas que revela o religioso como alguém que prefere acreditar em velhas tradições a aceitar a superioridade do pensamento científico racional para explicar o mundo. Para além disso, o questionamento de Freixo lembra uma situação vivida trinta anos antes pelo então senador Fernando Henrique Cardoso. FHC era candidato à prefeitura de São Paulo e perdeu a eleição, entre outros motivos, por ter sido pressionado em um debate a dizer que não acreditava em Deus. É a mesma tática do constrangimento, baseada em convicções sobre religião, só que usada em contextos políticos diferentes. Em 2016, o candidato representante da esquerda à prefeitura do Rio sugeria que Crivella seria menos capaz como administrador do município por causa de sua religiosidade.

Ao afirmar que a esquerda "se fechou para as classes populares", Dutra aponta para o desalinhamento entre as propostas de Freixo e os caminhos da maioria dos pobres votantes. Dutra chama a atenção para o fato de o envolvimento com a religiosidade evangélica trazer grandes benefícios para os pobres — conforme vários dos estudos citados neste livro indicam —, e que essa ideia é ignorada em nome da promoção de estigmas relacionando os pobres evangélicos a um fundamentalismo religioso.

Ao longo da campanha de Freixo — Dutra explica — ficou nas entrelinhas que ser evangélico torna a pessoa menos racional e faz com que ela tenha menos virtude moral para governar. Isso seria como dizer que as pessoas que têm perspectivas conservadoras, especialmente em termos de comportamento, não podem defender seus valores no âmbito político.

Mas a crítica de Dutra vai mais longe ao mencionar um nível sutil desse mesmo preconceito. Ele explica que alguns esforços nas camadas média e alta para entender e atuar junto às classes populares evangélicas se resumem a promover correntes progressistas associadas principalmente a denominações históricas como batistas, metodistas e presbiterianos.

O problema desse tipo de discurso, segundo Dutra, é que ele exclui políticos pentecostais e neopentecostais como Crivella, que representam as igrejas às quais pertencem a maioria dos pobres evangélicos. Nesse sentido, "buscar os protestantes históricos e isolar os pentecostais e neopentecostais só serve para reproduzir o fechamento intelectual, político e eleitoral da esquerda no universo da classe média".

O pastor Henrique Vieira, ligado a Freixo e ao PSOL, parte de um ponto de vista parecido com o de Dutra para falar, em uma entrevista, sobre a importância de se reconhecer o empoderamento popular que se dá dentro das igrejas neopentecostais:

"Nessa experiência evangélica [neopentecostal], que cresce de maneira vertiginosa no Brasil hoje, nós temos que perceber com muita humildade, e captar os dispositivos progressistas que existem [dentro dessas igrejas]. Porque [seus fiéis] são individualidades muitas vezes massacradas na sociedade. A pessoa não tem nome no emprego, a pessoa é esculachada pelo Estado, a pessoa recebe vários tipos de interdição na sociedade, a pessoa não é valorizada em lugar nenhum. Chega nessa igreja, quando abre aquela porta, ela ganha nome, ganha importância, ela conta um problema familiar e as pessoas ouvem, se importam, se interessam, visitam, oram, fazem uma rede de solidariedade. Às vezes são mães chorando a prisão ou a morte de seus filhos. Quem vai consolar? Muitas vezes aquela comunidade de fé é o único espaço em que a dor dela é vista e valorizada. E [é o único espaço em] que as pessoas estendem a mão em um ato de solidariedade [que afirma]: — 'nós nos importamos com a sua vida, Deus se importa com a sua vida e você vai vencer isso'. Será que nessa teologia não existe um empoderamento de pessoas esquecidas pela sociedade?"

Como argumenta o pastor Henrique Vieira, admitir esse tipo de efeito produzido por organizações pentecostais e neopentecostais depende da capacidade de perceber para além dos preconceitos e das contradições que existem em relação a esse público. Mas essa ainda é uma fala dissonante e até polêmica em ambientes de esquerda.

Em geral, conforme a explicação de Dutra registra, a esquerda progressista tende a rechaçar *a priori* a chamada "teologia da prosperidade" em vez de reinterpretar seu sentido. Essa teologia — conforme vimos no capítulo 26 — seria interpretada segundo uma leitura político-econômica desse fenômeno, como uma versão religiosa da ideologia neoliberal. O problema apontado por Dutra — e descrito também por Vieira — é que, ao não querer conhecer e entender o que leva as pessoas a abraçar o pentecostalismo ou o neopentecostalismo, a esquerda fecha os olhos "para as incontáveis variações e combinações que [a teologia da prosperidade] sofre na prática das igrejas, sendo, em muitos casos, acoplada a visões e práticas de solidariedade e ajuda mútua na busca de emprego e bem-estar, assumindo assim um sentido coletivo".

O sociólogo David Smilde acrescenta um elemento de complexidade neste argumento que, até este ponto do capítulo, resume o problema a uma visão elitista da própria esquerda, omitindo a visão neoconservadora que aparece menos claramente nos argumentos de Dutra. A posição progressista chamada de neomarxista, esposada por muitos intelectuais, ao ver pessoas de mãos dadas que cantam e oram [entende que] "na melhor das hipóteses, o movimento evangélico é uma expressão de inutilidade; na pior, de imperialismo cultural". A perspectiva neoconservadora, também segundo Smilde, considera que os latino-americanos carecem de valores de responsabilidade e iniciativa pessoal pela herança de particularismo e clientelismo. O crescimento evangélico, nesse enquadramento, é percebido como um sinal de mudança que acontecerá por meio de reformas neoliberais favoráveis ao mercado e contrárias, por exemplo, a ações governamentais de combate à pobreza.

37. Em vez de alianças de ocasião...

A dificuldade na comunicação entre grupos progressistas e grupos evangélicos se aprofunda, conforme vimos ao longo deste livro, pelo desinteresse de políticos e partidos progressistas pelo fenômeno do cristianismo evangélico. A percepção que predomina é a do evangélico que vota conforme a determinação de suas igrejas — apesar de o instituto Datafolha ter registrado que apenas em cada quatro fiéis faz isso.

Essa imagem, geralmente preconceituosa sobre quem é evangélico, torna a militância de políticos como a ex-senadora Marina Silva e a deputada federal Benedita da Silva — ambas evangélicas que iniciaram suas atuações em movimentos populares — mais trabalhosa por elas estarem constantemente negociando suas visões dentro de grupos que têm pouca interlocução um com o outro.

Benedita, por exemplo, revelou sobre essa questão:

"O conflito [por eu ser evangélica dentro do PT] começou exatamente quando eu me candidatei a vereadora. O Lula sempre foi a besta do apocalipse para a igreja. Eles diziam que a gente não devia se meter na política. E no meu partido, eu era discriminada pelos chamados 'revolucionários' [...] Eu continuei na igreja e continuei no Partido dos Trabalhadores e fazendo as duas políticas: colocando para a igreja que o PT não era o demônio e colocando no PT que era uma discriminação [essa forma de tratamento ao evangélico]. E que eles tinham de lutar pela liberdade religiosa, fosse de quem fosse."

O diretor da Open Society Foundation, Pedro Abramovay, escreveu sobre as consequências do distanciamento de partidos e políticos de esquerda em relação à comunidade evangélica a partir de um desabafo que ele ouviu de um líder evangélico:

"Eu luto há 15 anos contra Malafaias e Felicianos. Mas cada vez que eles fazem um comentário homofóbico ou misógino, a esquerda os 'xinga' de evangélicos e não de homofóbicos ou misóginos. E eu não posso admitir que se xingue alguém de evangélico."

Líderes como Silas Malafaia e Marcos Feliciano, apesar de serem personalidades conhecidas dentro e fora do mundo evangélico, estão longe de serem nomes aceitos ou mesmo admirados de maneira absoluta entre evangélicos. Mas, conforme o argumento defendido por Abramovay, criticar esses líderes por sua fé — em vez de confrontá-los por suas práticas e visões — polariza o debate e fortalece a posição deles como líderes desse segmento, e imobiliza os setores progressistas das igrejas.

Abramovay argumenta que, em vez de praticar um diálogo honesto e de longo prazo com a base evangélica, representantes dos partidos de esquerda acabam buscando alianças de ocasião com a cúpula das organizações religiosas. Alguns casos de busca do apoio evangélico por meio de aproximações com lideranças das igrejas foram amplamente noticiados. A presidente Dilma procurou o suporte do bispo Edir Macedo, levando-a a declarar que "o Estado é laico, mas feliz é a Nação cujo Deus é o Senhor". A mesma Dilma proibiu o que viria a ser chamado falsamente de "*kit gay*", em aceno à bancada evangélica, afirmando que não faria propaganda de "homossexualismo" nas escolas. E foi o voto de parte da esquerda que levou o pastor Marco Feliciano a assumir a Comissão de Direitos Humanos da Câmara dos Deputados em 2013.

38. Individualismo e meritocracia

O problema do diálogo entre grupos evangélicos e partidos com visões progressistas vem ainda de outra discordância. O conjunto dos evangélicos tende a ter posicionamentos mais conservadores em relação a pautas morais, mas sua visão de mundo, conforme teorizado por Max Weber, também se identifica com valores liberais capitalistas.

É o individualismo que começa na relação direta e individual da pessoa com Deus para chegar à própria salvação. Existe o sentimento de coletividade dentro das igrejas, que é, aliás, um dos motivos da importância das igrejas nas periferias, mas a visão mais ou menos compartilhada entre setores evangélicos é a de que a pobreza é um problema individual que cabe a cada um enfrentar por si mesmo. Essa é também a visão do mercado.

No Brasil popular, a visão neopentecostal — que tem influenciado outras tradições protestantes — manifesta-se no avanço do consumo, do empreendedorismo, da meritocracia, da competitividade, do individualismo e da busca da eficiência. Muitos dos novos negócios abertos na localidade da Bahia onde pesquisei pertenciam a evangélicos. Iam de lanchonetes a livrarias, mas a maior parte dessas microempresas atuava no campo da tecnologia, fazendo serviços de impressão, conserto de celulares e oferta de acesso por meio de *lan houses*.

A esquerda tem entendimento diferente de que a pobreza é uma questão estrutural, não individual, e isso aparece, por exemplo, no esforço das Comunidades Eclesiais de Base (CEB) ao atuarem a partir de um projeto de salvação coletivista. Mas para evangélicos motivados pelo empreendedorismo do "faça você mesmo", o ideal defendido em grande parte pelos partidos de esquerda não os atrai. Nesses contextos, ações de combate à pobreza tendem a ser vistas como populistas, por distribuírem recursos "para quem não quer trabalhar". O antropólogo Ronaldo de Almeida ressalta, nesse sentido, como o Bolsa Família e as cotas raciais foram alguns dos temas mais atacados pelo então candidato Bolsonaro durante a campanha eleitoral de 2018 com o objetivo de atrair o eleitor evangélico.

Nessa visão protestante, a pobreza é um problema individual assim como o crime. Para eles, é a pessoa que decide se quer levar uma vida honesta ou se dedicar a "fazer o errado". O argumento é que existem pobres que, apesar de sua condição, preferem manter distância "das tentações e da vida fácil" do crime para continuarem trabalhando honestamente. Compete à pessoa escolher, e quem escolhe mal deve pagar por seus atos. Daí a defesa que aparece em alguns círculos evangélicos da redução da maioridade penal e do fortalecimento de ações policiais repressivas.

39. Evangélicos e a luta por direitos e dignidade

Uma das críticas recorrentes feitas a organizações evangélicas é a de que sua ação se concentra no resgate individual, em vez de atacar as injustiças estruturais que produzem a desigualdade. Em seu estudo sobre a atuação de igrejas para a conversão de detentos no Rio de Janeiro, o sociólogo Andrew Johnson registra, por exemplo, como essas igrejas não criticam as práticas recorrentes de violação de direitos humanos que acontecem no dia a dia das prisões. Mas, apesar disso, ele conclui que "a presença persistente [de igrejas evangélicas] nas prisões e cadeias é um ato político com consequências políticas. Essa presença dá substância à mensagem de que esses presos são pessoas de valor e dignas de redenção. Ela foge da noção de que os homens dentro da prisão são dispensáveis ou inutilizáveis".

Para Johnson, a conversão do presidiário oferece uma saída alternativa para quem está, de um lado, submetido à vontade (e também às injustiças) do sistema prisional; e de outro, obrigado à aproximação de organizações criminosas para se proteger de outros presos. Como evangélico, o detento fica menos vulnerável a ataques violentos, e também o envolvimento com a religião pode influenciar positivamente a decisão de um juiz a seu favor.

À luz de sua pesquisa de campo com presos e ex-detentos, Johnson finaliza seu estudo comparando o fenômeno das igrejas evangélicas no Brasil com a atuação política dentro de igrejas protestantes junto ao movimento pelos direitos civis que combateu e venceu o racismo institucionalizado que existia nos Estados Unidos.

Diferente do entendimento marxista sobre a religião como um elemento opressor — condensado na frase "a religião é o ópio do povo", de Karl Marx — no caso da luta por direitos civis nos Estados Unidos a religião teria sido responsável por promover o amor-próprio no crente, fortalecendo-o para resistir e perseverar em condições desfavoráveis. E apesar das muitas diferenças que podemos encontrar comparando a realidade dos Estados Unidos com a do Brasil, Johnson aponta para como, no caso brasileiro assim como no americano, a vinculação com igrejas evangélicas faz aparecer naquele que está na condição mais delicada e vulnerável o sentimento de dignidade e de respeito próprio.

Juliano Spyer

A conversão nas prisões brasileiras, segundo Johnson, não traz riqueza nem influência política. Diferente da imagem dos pastores milionários que constituem impérios a partir de pregações midiáticas transmitidas em rede nacional, esse evangélico comum dificilmente encontra na igreja uma alternativa de renda. O pastor, muitas vezes, tem um emprego diário — como pedreiro, por exemplo — para manter sua família. Além desse trabalho, ele dedica as noites e os fins de semana aos membros e à gestão da igreja. Mas, nessa condição, esse pastor se percebe merecedor de uma vida digna e encontra na igreja uma rede de apoio para reconstruir sua vida.

A instrumentalização da fé: igrejas no poder

Se Jesus tivesse se inclinado a fazer política, poderia ter se tornado um homem-chave na Judeia romana [...]. Foi porque ele era indiferente à política e deixou clara sua indiferença que foi liquidado. Como viver a vida — e também a morte — fora da política: esse foi o exemplo que ele deu para seus seguidores.

J. M. Coetzee,

Verão

Não nos deixeis cair em tentação, mas livrai-nos do mal.

Mateus 6:13

40. Quem tem medo dos evangélicos?

Uma das motivações para escrever este livro foi perceber o peso do voto evangélico no resultado da eleição presidencial de 2018. O dado estatístico de que aproximadamente 20% dos brasileiros — aproximadamente 31 milhões de eleitores — se identificam como evangélicos ainda não tinha se materializado de maneira tão evidente como nesse evento que impactará temas nacionais até o próximo pleito em 2022. Aproximadamente 21 milhões de evangélicos votaram no ex-capitão, e cerca de 10 milhões escolheram o candidato petista no segundo turno.

Considerando como votaram os outros grupos religiosos, vários analistas associaram a vitória do conservador Jair Bolsonaro ao apoio de evangélicos. O antropólogo da Unicamp Ronaldo Almeida escreveu que "quem fez, de fato, a diferença a favor de Bolsonaro em números absolutos foram os evangélicos". O doutor em demografia José Eustáquio Diniz Alves, professor titular da Escola Nacional de Ciências Estatísticas (ENCE/IBGE), afirmou: "Não há dúvida de que o voto evangélico foi fundamental para a eleição de Jair Bolsonaro. Mesmo sendo menos de um terço do eleitorado, as lideranças evangélicas são muito atuantes na política e estão colhendo o resultado de anos de ativismo religioso na sociedade".

Juliano Spyer

O sociólogo Marcos Coimbra, presidente do Instituto Vox Populi, afirmou, com o suporte de dados de seu instituto, que não foram os evangélicos como um todo, mas a parcela feminina pobre e evangélica do eleitorado decidiu a eleição a favor de Bolsonaro. A antropóloga Jacqueline Moraes Teixeira, da USP, chegou a conclusões semelhantes acompanhando as discussões sobre política de grupos no WhatsApp de mulheres evangélicas da Igreja Universal durante a eleição.

Para Teixeira, muitas mulheres evangélicas resistiam durante a maior parte da campanha à ideia de votar no ex-capitão, mas essa situação mudou na reta final. Em entrevista para o periódico *El País*, ela contou que muitas dessas evangélicas começaram a ser pressionadas pela comunidade da igreja e por seus familiares a mudarem seu voto quando o candidato petista Fernando Haddad, em entrevista à TV Aparecida, chamou o bispo Edir Macedo de "charlatão fundamentalista" e de ter "fome de dinheiro". Teixeira diz que a partir desse momento, as mulheres que defendiam o voto contra Bolsonaro passaram a ouvir das outras participantes dos grupos que votar contra Bolsonaro seria negar a própria identidade religiosa e defender um candidato que perseguia a Universal.

Mesmo considerando os dados empíricos e as análises desses especialistas, não existe uma explicação simples para o resultado da eleição de 2018. O país, que atravessou um período de euforia pelo crescimento econômico até 2014, foi chacoalhado pela sobreposição de crises econômica e política levando ao aumento rápido do desemprego. Nesse contexto de instabilidade, vários grupos da sociedade, religiosos ou não, compuseram o amálgama de indignados que escolheram o candidato que se posicionou como o representante antissistema. Conforme resumiu um entrevistado, jovem das camadas populares, em uma pesquisa que conduzi para o Ideia Big Data: "Prefiro votar em um louco [do] que em um ladrão". Mas apesar da indignação aparecer em diversos segmentos sociais, no que tange ao voto evangélico a preferência por Bolsonaro não aconteceu por acaso. A aproximação entre o ex-capitão e pastores e políticos evangélicos foi construída ao longo de vários anos antes da eleição.

Bolsonaro não esconde ser católico, mas foi "batizado em águas" seguindo o rito evangélico no Rio Jordão, em Israel, pelo pastor Everaldo Pereira, da Assembleia de Deus, que também é presidente do Partido Social Cristão (PSC). Michelle, sua atual esposa, é evangélica, e o casamento deles foi realizado pelo pastor Silas Malafaia, da Assembleia de Deus, o que também sinaliza uma aproximação dele ao mundo evangélico em um plano pessoal. O episódio da facada, apontado por analistas como decisivo para impulsionar o ex-capitão na reta final da campanha, foi narrado sob a forma de um testemunho evangélico, no qual a ação do Diabo foi contida pela Providência divina. E, demonstrando sua gratidão ao eleitor evangélico, além de seu discurso oficial para a sociedade transmitido pela TV, o presidente eleito fez outro pronunciamento em transmissão ao vivo via redes sociais, por meio de uma oração no estilo pentecostal, de mãos dadas e olhos fechados.

DISTRIBUIÇÃO DO ELEITORADO POR RELIGIÃO, COM BASE EM DADOS DE PESQUISA DATAFOLHA DE INTENÇÃO DE VOTOS

Religião	Votos de Bolsonaro	Votos Haddad	Diferença
Católica	29.795.232	29.630.786	1.644.46
Evangélica	21.595.284	10.042.504	11.552.780
Afro-brasileiras	312.975	755.887	-442.912
Espírita	1.721.363	1.457.783	363.862
Outra religião	709.410	345.549	363.862
Sem religião	3.286.239	4.157.381	-871.142
Ateu e agnóstico	375.570	691.097	-315.527
Total de votos	57.796.074	47.080.987	10.715.087

Fonte: Pesquisa Datafolha, 25 de outubro de 2018, três dias antes das eleições

Juliano Spyer

Este livro foi escrito por causa de eventos recentes — eleição presidencial, eleição do bispo Marcelo Crivella para a prefeitura do Rio e a ampliação contínua da bancada evangélica no Congresso Nacional, para citar apenas eventos políticos. Já não é possível entender e atuar no Brasil contemporâneo sem levar em consideração os evangélicos, e especialmente pentecostais e neopentecostais, esses nossos "desconhecidos íntimos", sobre quem falamos repercutindo notícias dos jornais, apesar de geralmente conhecermos pouco e convivermos com eles menos ainda.

Este livro trouxe até aqui os resultados de pesquisas, muitas delas produzidas por antropólogos e sociólogos, sobre o tema do cristianismo evangélico no Brasil. E o que muitos desses estudos apontam é que, no âmbito local, ou seja, para moradores dos bairros onde igrejas evangélicas atuam, a presença delas traz transformações positivas para os brasileiros pobres; transformações que o Estado não foi nem é capaz de oferecer.

Como já foi dito, uma das primeiras consequências da adoção do cristianismo evangélico dentro de famílias pobres é o fim da violência doméstica contra a mulher e os filhos do casal. A igreja reduz o papel social do homem e abre possibilidades de atuações novas para as mulheres. Vínculos de confiança no casamento facilitam que a mulher, e não apenas o homem, tire benefícios do trabalho formal e também consiga empreender. O adulto evangélico recém-convertido se sente obrigado pela congregação a aprender a ler, e o casal percebe com maior clareza que a escolaridade amplia as possibilidades profissionais de seus filhos. Vimos, sobre a teologia da prosperidade, como a ambição de melhorar de vida não se limita ao aspecto financeiro e material dos fiéis e que outros ramos do protestantismo parecem estar sendo influenciados por essa característica original do neopentecostalismo. Vale citar ainda o impacto do cristianismo evangélico atuando entre as populações descartadas pela sociedade, nas cracolândias, em clínicas de recuperação de dependentes químicos, nas penitenciárias e junto a ex-presos, para que eles sejam reintegrados à sociedade.

Vimos também como essas igrejas, muitas vezes, ocupam o lugar das redes de solidariedade tradicionais presentes nas áreas rurais do Nordeste, de onde migraram e ainda migram muitos dos brasileiros que hoje habitam as periferias das grandes cidades. A igreja se torna uma espécie de família estendida para ajudar a encontrar emprego; conseguir vaga em clínicas de desintoxicação; ter acesso a especialistas médicos difíceis de serem encontrados nos hospitais públicos; ter as compras de mercado quando o dinheiro acaba; interferir em brigas de casal; ter quem cuide dos filhos enquanto se está trabalhando ou em caso de doença; ter proteção contra ameaças de violência, entre muitas outras possibilidades.

Conforme resumiu o cientista social David Smilde, da Universidade de Tulane, Estados Unidos, "no nível das bases, os grupos evangélicos e pentecostais são com frequência a única forma de sociedade civil disponível às pessoas e podem ter um impacto local importante dando a essas pessoas um caminho para confrontar a violência e a injustiça nos seus contextos locais".

Em resumo, no âmbito local, o cristianismo evangélico tem um impacto transformador social e econômico sobre a vida dos brasileiros mais pobres que o Estado não sonha ter. Juntamente com a família e o crime organizado, a igreja é um dos ambientes de convívio onde os moradores de bairros periféricos e de favelas podem pedir ajuda. Mas existem também as consequências que a popularização dessa nova versão do cristianismo produz nos contextos regionais e nacionais, e elas preocupam muitos brasileiros que não são evangélicos.

Podemos tirar proveito da imagem do *iceberg* para falar sobre o fenômeno evangélico. A parte visível do mundo evangélico parece ser grande, mas, assim como nos *icebergs*, a parte submersa é muitas vezes maior. A parte visível desse fenômeno, incluindo artistas gospel, atletas de Deus, pastores milionários e políticos influentes, está constituída sob um corpo social muito distinto e complexo que agrupa, segundo estatística recente divulgada pelo instituto Datafolha, um a cada três adultos no Brasil. É importante ter isso em vista, que são muitas pessoas, e que esses evangélicos pertencem predominantemente às camadas populares na base da pirâmide social brasileira. E conforme explica David Lehmann, sociólogo da Universidade de Cambridge, "mais do que um modo de obter recursos financeiros, se tornar pastor é uma forma de se apresentar como pessoa digna à sociedade".

O desafio real, antes de atacá-los, é conseguir compreendê-los. E é isso que está no pano de fundo de todos os capítulos deste livro até aqui: oferecer meios, a partir de pesquisas recentes de cientistas sociais, para examinar os evangélicos por perspectivas menos conhecidas e principalmente mostrar o ponto de vista deles, que está relacionado a contextos de vida muito diferentes do de quem vive no "andar de baixo" da sociedade brasileira, geralmente fora do campo de convívio das camadas média e alta. Nas palavras da antropóloga Claudia Fonseca, "para uns, há escolas particulares, táxis, médicos a US$ 100 por consulta. Para outros, a escola pública sucateada, os ambulatórios, os ônibus". Ter essa perspectiva de como sobrevivem os pobres brasileiros é o ponto de partida para olhar para os evangélicos com mais informação e menos preconceito.

Tendo isso em vista, nos capítulos seguintes serão examinados os perigos que a expansão do cristianismo evangélico traz para a sociedade como um todo. E para começar, vamos dimensionar a força que essa comunidade tem no Brasil atual, em termos de tamanho e capacidade de coordenação e influência.

POVO DE DEUS

41. A força dos evangélicos hoje

Conforme vimos com mais detalhes no capítulo 12, hoje as pessoas que se identificam como cristãs evangélicas representam, segundo o Censo de 2010, mais de 20% dos brasileiros. Os estatísticos já calculam que, se o ritmo de crescimento se mantiver, em 2032 o número de evangélicos se igualará e em seguida superará o de católicos no país, que está em queda.

O efeito dessa transição religiosa para a sociedade vai além do mero dado estatístico. José Eustáquio Diniz, demógrafo da Escola Nacional de Estatísticas, afirma: "O impacto dessa mudança é grande para a Igreja Católica. A Rússia teve revolução e permaneceu ortodoxa. Os Estados Unidos, mesmo com a Guerra Civil, se mantiveram protestantes. Entre os países grandes, mudanças assim só ocorreram em consequência de guerras e revoluções. No Brasil, a revolução é silenciosa". Em resumo, o catolicismo é a tradição religiosa do Brasil desde o início da colonização, e o cristianismo evangélico de tradição protestante traz consigo práticas e valores próprios vindos da Europa, dos Estados Unidos e também via pentecostalismo da religiosidade africana, que contrasta com as práticas e os valores do mundo ibérico de Portugal e Espanha.

Em relação ao catolicismo, evangélicos têm maior envolvimento nos aspectos práticos de gestão de suas igrejas e também na promoção de suas crenças. Esse envolvimento é uma característica do protestantismo, que promove atitudes individualistas nas quais a pessoa — e não outro intermediário — é responsável pela própria salvação. Essa determinação aparece no esforço missionário e militante de fundar igrejas sempre que há oportunidade para isso, e também na maneira empreendedora e profissional com que muitas das organizações evangélicas são administradas.

Essa disposição para gerir igrejas com técnicas criadas para a administração de empresas atingiu um padrão de complexidade sem paralelos no Brasil com a popularização do neopentecostalismo. A Igreja Universal, fundada pelo bispo Edir Macedo em 1977, tinha em 2012 aproximadamente 2 milhões de membros no Brasil segundo o IBGE, mais de 1.700 igrejas e atuava em 180 países. Segundo o *ranking* da revista americana *Forbes*, ele é o pastor mais rico do país com patrimônio estimado em R$ 2 bilhões.

Cito um exemplo complementar, menos conhecido que o da Universal, de formato de gestão que incorpora táticas modernas do *marketing*, usado por algumas organizações evangélicas. É o chamado MDA, uma sigla para Modelo de Discipulado Apostólico. O MDA, exportado para a América Latina via Coreia do Sul, funciona como o *marketing* por pirâmide: cada novo convertido recebe metas para trazer mais pessoas para a igreja. A missão automática de quem passa a fazer parte da organização é trazer para a organização e depois acompanhar cotidianamente 12 pessoas. Dessa forma, o MDA oferece dados quantitativos para a igreja avaliar a performance evangelizadora do fiel, criando um ambiente de competitividade por resultados.

Além de estar crescendo em ritmo acelerado e também sendo exportado, o cristianismo evangélico brasileiro constituiu um mercado consumidor importante para artistas e pregadores, que viajam pelo país e pelo mundo levando a palavra de Deus e vendendo sua música e sua oratória. Já em meados dos anos 2000, o segmento de música gospel só perdia para a categoria *pop rock* em número de álbuns vendidos no Brasil.

Do ponto de vista da mídia, vimos nas últimas décadas a Igreja Universal comprar a Rede Record e constituir um conglomerado de meios de comunicação com alcance nacional e internacional via transmissões por antena e também a cabo e pela internet. A TV Record cobre 93% do território nacional, teve em média 5,2 pontos de audiência em 2018, o que a posiciona entre as três emissoras com mais audiência no país, e tem receita anual de R$ 1,8 bilhão. A *Folha Univers*al, periódico semanal da Igreja

Universal, faz circular 2,5 milhões de exemplares, mais que o dobro da circulação atual da revista *Veja*, considerada a maior do país.

Esses são apenas os exemplos mais conhecidos da influência midiática das igrejas; não se consideram aqui os canais a cabo, o tempo de TV alugado de algumas emissoras geralmente durante a noite, as milhares de emissoras de rádio e mais recentemente o uso intensivo das redes sociais como espaço para interlocução entre membros e para a evangelização.

Em resumo, a questão da força de influência do cristianismo evangélico no Brasil tem a ver com o tamanho desse estrato social, sua capacidade de articulação e coordenação, a infraestrutura de mídia que evangélicos de diversas denominações vêm constituindo, e com o poder que líderes evangélicos têm hoje de influenciar opiniões via meios de comunicação, via atuações no meio artístico e cultural, e de interferir na gestão do Estado via financiamento e promoção de campanhas de pastores (ou de candidatos alinhados com essas igrejas) a cargos públicos.

Por causa dessas características, as maiores igrejas conseguem usar sua infraestrutura, seus recursos, sua rede de conexões e seu contato cotidiano frente a frente com fiéis para eleger representantes. É consequência desse esforço para estar presente nas esferas de poder que, em 2018, o evangélico Eduardo Bolsonaro, filho do presidente, se tornou o deputado federal mais votado na história do Brasil. Outra evangélica campeã de votos é a deputada federal Joice Hasselmann. E a advogada Janaína Pascoal, que se tonou a deputada estadual mais votada de todos os tempos com mais de 2 milhões de votos, diz frequentar a Igreja Católica e também os cultos evangélicos.

Uma das dificuldades postas para desconstruir as imagens geralmente negativas sobre o cristão evangélico é conciliar contradições como esta que apresentei nestas últimas páginas. No âmbito local, o cristianismo evangélico ajuda pessoas em situação de extrema vulnerabilidade, mas o outro lado desse fenômeno tem força nacional equivalente à das grandes empresas multinacionais e usa esse poder de comunicação e coordenação para formar quadros em cargos políticos e consequentemente levar esse ideário cristão para dentro do Estado.

42. De pastor a político

Acompanhei de perto, durante a pesquisa para o doutorado, a trajetória de evangélicos que fizeram parte do mundo do crime em algum momento anterior de suas vidas. Alguns tinham sido criminosos comuns, outros tiveram cargos importantes dentro de organizações com alcance nacional. Em um dado momento da pesquisa de campo, percebi que muitos dos evangélicos mais atuantes e devotos com quem eu convivia — e em alguns casos me tornei amigo — tinham refeito suas vidas de uma maneira tão completa, que não dava para perceber que algum dia tivessem sido criminosos, vários deles considerados perigosos antes de se converterem.

Nesse contexto de proximidade, um dia tive uma longa conversa com um desses amigos, reabilitado e liberto da cadeia também por sua conversão religiosa, sobre seus planos para se candidatar a vereador. A fórmula consistia em continuar atuando como pastor, consolidar uma rede de apoio junto a outros pastores da mesma organização, e a partir daí negociar com partidos a formação de uma chapa para concorrer na eleição seguinte. E a visão dele sobre esse projeto era bastante pragmática: ele fazia contas, considerando a rede de apoio que tinha nas igrejas, para ver se teria chance de ser eleito.

Não havia uma causa que ele quisesse defender; o cargo público era uma chance que estava ao alcance de um pastor como ele, de uma congregação ainda pequena, que o levaria a ter uma projeção maior. Ele percebia a possibilidade de ser vereador como um caminho para ter uma boa remuneração, para ampliar sua influência no município e então transformar essa conquista em novas vantagens para ele e para sua rede de apoio.

O plano que estava sendo considerado não falava claramente de uso ilícito da máquina pública, mas dava a entender que não havia um desejo de fazer diferente de outros representantes eleitos no passado na mesma região. Conforme ele me explicou, aqueles que souberam trabalhar bem após terem sido eleitos e aproveitaram a oportunidade aberta pela carreira política, tinham se mantido no cargo e viviam em condições econômicas melhores do que tinham antes.

Também para fiéis e líderes de congregações pequenas, o apoio a candidatos da própria igreja ou de igrejas próximas resulta de decisões calculadas. No caso de candidatos a cargos locais, o argumento para convencer a congregação a votar é parecido com este mencionado a seguir, registrado a partir de uma conversa pessoal com o pastor de uma pequena congregação:

"Ele [o candidato] está aqui próximo da gente. Posso entrar em contato com ele facilmente pra ajudar um irmão a conseguir uma internação ou o enterro de alguém. Infelizmente, a nossa comunidade tem necessidades desse tipo e ele pode nos ajudar".

Só que o sucesso eleitoral não chega facilmente; é difícil reunir o apoio para lançar-se vereador e daí escalar gradualmente o trajeto até o Congresso Nacional. Por isso, cerca de metade dos deputados evangélicos — especialmente os pentecostais e neopentecostais — são pastores, cantores gospel, parentes de líderes de igrejas, tele-evangelistas ou donos de emissoras de rádio ou TV. E segundo o sociólogo Ricardo Mariano, mesmo tendo essas vantagens, o apoio de muitos líderes evangélicos, da própria igreja e de outras, é essencial para o sucesso das candidaturas. Mariano explica que "essa dependência reforça o caráter corporativo e moralista [dos mandatos desses parlamentares] e seu compromisso de atuarem como despachantes de igreja".

Em resumo, muitos dos evangélicos eleitos já estão próximos de líderes com infraestrutura para dar apoio a suas campanhas e, mesmo assim, os acordos feitos com outros líderes prendem as decisões dos que são eleitos à influência de seus padrinhos políticos e das igrejas que eles representam.

43. Um chamamento de Deus

Se o evangélico, especialmente o que é inspirado pelo neopentecostalismo, por um lado é incentivado a batalhar para alcançar o Reino de Deus na Terra, por outro lado as chances para a conquista dessas oportunidades de sucesso financeiro são limitadas. "A porta é estreita" para se conquistar o apartamento de cobertura, para quem não fala inglês ou outra língua estrangeira, não entrou na melhor universidade, e não tem acesso aos relacionamentos e aos produtos de consumo que diferenciam as pessoas que pertencem às camadas média e alta da sociedade.

Nesse contexto de desigualdade de chances para prosperar, a igreja aparece como caminho para alçar alguns dos pastores mais carismáticos e determinados para a carreira política. Mas mesmo nesse caso é importante, para a análise deste aspecto do cristianismo, resistir ao argumento de que, em muitas situações, a motivação original e mais importante para alguém se tornar pastor e eventualmente pastor eleito para um cargo público seja o sucesso profissional. O desejo para fazer certas escolhas — como se tornar pastor ou deputado — não acontece apenas como o resultado da vontade de seguir uma carreira remunerada. Sugerir que essa seja a única ou principal motivação reduz o caminho de quem quer ser pastor a uma visão pragmática e utilitarista da religião e, portanto, menos legítima. Essa explicação pode ser lida como uma baboseira intelectual, mas resulta do contato de longa duração de muitos pesquisadores dentro de igrejas grandes e pequenas.

POVO DE DEUS

O esforço para o evangélico se tornar pastor é o resultado de um chamamento para levar adiante a vontade de Deus e evangelizar. Por mais que a carreira venha a ser bem remunerada, a decisão de seguir esse caminho não é como ter vontade de se tornar médico ou advogado; não é como escolher uma profissão e estudar a Bíblia para ver qual dará melhor retorno financeiro no futuro. Ser pastor resulta de a pessoa se sentir iluminada para aquela função e ser reconhecida dentro de sua comunidade para seguir aquela vocação. O chamamento de Deus acontece, a igreja identifica e a pessoa vai sendo encaminhada. Nesse sentido, o trajeto para quem quer se tornar pastor não está à venda para ser trilhado por qualquer um.

E se devemos examinar as motivações do outro que estamos pesquisando, devemos também analisar as nossas próprias motivações e pontos de vista na relação com esse outro. Nessas visões preconceituosas — examinadas na Parte 2 deste livro — paira uma percepção idealizada de que o pertencimento religioso seria alguma coisa desinteressada. Por isso é importante ressaltar que esses parlamentares estão prosperando, no entendimento deles, graças à sua dedicação ao trabalho evangélico e à aprovação de Deus pelo merecimento da pessoa. Mais do que uma motivação comercial, há o compartilhamento de entendimentos, conservadores do ponto de vista moral, que se manifestam na defesa de pautas morais a partir do argumento de que a família brasileira está sendo destruída.

O argumento deste capítulo tenta mais uma vez, seguindo a proposta do livro, prover uma narrativa alternativa à que simplifica a religiosidade a um sistema manipulador que, no caso dos evangélicos, seria motivado racionalmente pelo interesse econômico. (Esta leitura, no entanto, não isenta pastores que cometem crimes ou são corruptos, assunto discutido abertamente até entre membros da bancada evangélica.) A determinação para o pastor dar o salto para a carreira política está em levar perspectivas conservadoras para a sociedade como parte de uma visão universalizante resumida no *slogan* "Deus acima de todos".

44. A bancada evangélica

No centro da instrumentalização da fé com finalidades políticas está a Frente Parlamentar Evangélica (FPE) no Congresso Nacional, que hoje é composta de 120 parlamentares ativos, um recorde desde sua fundação em 2002 quando eram 59 deputados federais. Conforme noticiou a revista *Veja*, o número de parlamentares associados a essa bancada é muito maior do que qualquer partido no Congresso Nacional. Ela representa hoje a principal consequência do uso coordenado da audiência das igrejas para eleger candidatos para ocupar cargos públicos, uma atitude criticada também dentro de setores evangélicos.

A instrumentalização da fé com finalidade eleitoral se dá a partir do argumento de que a igreja e o plano evangelizador de Deus correm perigo. Ricardo Mariano, sociólogo da USP, explica que "o argumento de que 'a liberdade religiosa está em xeque' é um trunfo decisivo para defender candidaturas evangélicas nos próprios cultos". Mariano aponta o momento em que a presença de evangélicos no Congresso mudou para a postura atual. Segundo conta, nas eleições gerais de 1986, as primeiras após a redemocratização, correu um boato durante os trabalhos da Constituinte de que a Igreja Católica estaria exercendo sua influência para ter uma posição privilegiada na redação da nova Constituição, o que colocaria em risco a liberdade religiosa.

Segundo o sociólogo, por causa desse boato, "rapidamente foi organizada uma bancada na Câmara, marcando a emergência pública do ativismo evangélico em um momento crucial da democracia. O lema dos evangélicos, que até então tinha sido 'crente não se mete em política', passou a ser 'irmão vota em irmão'.

Porém, diferentemente do panorama atual, [até aquele momento, os candidatos evangélicos] eram eleitos sem instrumentalizar a identidade religiosa, ou seja, sem colocar a religião a serviço de interesses políticos. Isso passou a acontecer a partir das eleições de 1989 e adquiriu força nos últimos anos".

Dada a proximidade da bancada com a atual presidência, Bolsonaro demonstra publicamente seu alinhamento com esse grupo, por exemplo, ao desmentir pelo *Twitter* o secretário da Receita Federal, em abril de 2019, que havia aventado a criação de um imposto que incidiria sobre o dízimo das igrejas, que hoje são isentas de tributação. O prestígio desse grupo pode ser aferido pela presença, em um evento com grandes lideranças evangélicas, de todos os expoentes da República, entre eles o próprio presidente Bolsonaro, o presidente do STF e o presidente do Congresso Nacional.

Antes de prosseguir, vale notar que essa bancada não representa todos os evangélicos, porque nem todos os políticos atuantes no Congresso que são evangélicos fazem parte dela. A ex-candidata presidencial Marina Silva é um exemplo de evangélica que, quando senadora, não fez parte desse grupo, e como ela existem outros. Conforme indica o pesquisador e pastor batista Davi Lago, a diversidade de perspectivas presente na atividade política evangélica se reflete na pulverização do "voto evangélico". "Nas eleições presidenciais brasileiras de 2014, os três primeiros colocados no primeiro turno receberam, cada um, o apoio de segmentos evangélicos diferentes", lembra.

Também sobre esta bancada, é importante ressaltar sua diversidade. Se de um lado a maior parte dos participantes é ligada à Assembleia de Deus e à Igreja Universal, mesmo assim esse grupo não é um todo coeso e livre de atritos. Ainda segundo Ricardo Mariano, a bancada "apresenta grande heterogeneidade partidária e denominacional e não tem poder para uniformizar a atuação parlamentar de seus membros".

Mesmo que esse ativismo eleitoral de evangélicos pentecostais e neopentecostais seja uma prática comum, estimulada por representantes de todo espectro ideológico, Mariano lembra que "muitos crentes se opõem individualmente à manipulação eleitoral dos fiéis e à mistura entre religião e política; não se deixam transformar automaticamente em peças de currais eleitorais, cegamente obedientes à orientação pastoral".

No contexto atual, a unidade da bancada evangélica acontece mais frequentemente na defesa dos valores da chamada "família tradicional" ou "natural" contra a legalização do aborto, contra a legalização das drogas e contra a defesa de pautas favoráveis à comunidade LGBT, especialmente quanto ao direito de pessoas do mesmo sexo se casarem e poderem se tornar pais e mães adotivos de crianças órfãs. E apesar de suas diferenças históricas, a força da bancada se amplia, à medida que católicos conservadores e evangélicos unem forças em defesa de suas visões da "moral e dos bons costumes".

A importância dessa pauta moral para eleitores evangélicos apareceu com clareza nas justificativas dadas por esses mesmos eleitores para votar no candidato à presidência Jair Bolsonaro. Uma enquete feita pela empresa de pesquisa Behup registrou expressões de apoio em frases como:

— "Que o Bolsonaro ... não permita a aprovação de leis que sejam contra a moral e os valores cristãos."
— "O PT defende legalizar o aborto e a venda de drogas. Espero que o Bolsonaro, sendo eleito, não deixe mais que a opinião da minoria se sobreponha à da maioria."
— "Espero que no governo dele acabe com essa história de ideologia de gênero nas escolas, para os nossos filhos não terem que aprender que ser menino ou menina é uma escolha."
— "Os jovens estão muito destemidos, muito indisciplinados. É bem-vindo o Bolsonaro ser um conservador e defender um sistema que impõe limites aos jovens."

— "Que o Bolsonaro acabe com o que existe de [quem é] errado nas esquinas: a bandidagem, as facções, maconheiro, trombadinha. E diminua a maioridade penal para 16 anos."

A ênfase do trabalho desses parlamentares tem também um objetivo prático, relacionado a defender vantagens tributárias, alvarás de templos e concessões de rádio. Essa atuação bastante coordenada contrasta com o desinteresse por causas de importância nacional. Os parlamentares da bancada evangélica via de regra não se mobilizam para combater a corrupção, para defender projetos para melhorar as condições de saúde e educação no país, e desprezam perspectivas sociológicas ou até cristãs sobre violência para defender a repressão policial e o encarceramento como meios para resolver o problema da violência urbana. Parlamentares dessa bancada também não se preocupam com temas como invasão de terras indígenas, aquecimento global ou trabalho escravo, e se aproximam da perspectiva mais elitista da sociedade para resolver questões sociais. E — o que é muito delicado — vêm impondo sua presença junto no MEC no sentido de influenciar as políticas educacionais a partir de valores cristãos referentes, por exemplo, a pautas sobre sexualidade e sobre a evolução das espécies.

Em relação ao tema da educação, é sintomático da presença crescente de políticos evangélicos a fala de Iolene Lima, ao ser anunciada como secretária-executiva do MEC. Ela explicitou a intenção de injetar valores e perspectivas bíblicas como estratégia para melhorar a qualidade das escolas. Nessa ocasião, ela afirmou que o ensino de "todas as disciplinas do currículo escolar serão organizadas sob a visão das escrituras", exemplificando que geografia, história e matemática serão apresentadas nas salas de aula a partir de "uma cosmovisão cristã". É importante mencionar, no entanto, que em seguida a essa fala ela foi demitida do cargo.

E se essas visões sobre as prioridades para o Brasil produzem o efeito esperado em termos de votos, não é simplesmente porque esses políticos sejam manipuladores e seus eleitores, ingênuos. Ambos os lados acreditam nesses valores e são sensíveis a esses temas. Os eleitores de candidatos pastores estão, muitas vezes, nos bairros periféricos mais expostos ao crime e às flutuações da economia. Pela perspectiva deles, a família e a igreja são elementos que os protegem do contato com os problemas ao redor.

Em complemento a isso, muitos evangélicos hoje se sentem acuados, nos bairros periféricos, pela influência do crime organizado; e a promessa de mais policiamento sugere a possibilidade de um cenário em que os líderes do crime não sejam efetivamente as pessoas que mandam e tomam as decisões nesses bairros.

Ainda assim, mesmo quando não são eles as vítimas da polícia, a defesa de posições conservadoras moralmente leva evangélicos, que geralmente são negros ou pardos pobres, a eleger candidatos que se aliam às forças mais conservadoras, tradicionais e elitistas do país, como a bancada da bala e a do agronegócio. E o fortalecimento desse conservadorismo se volta contra os mesmos negros e pardos pobres, via defesa do maior uso da força policial em bairros periféricos ou, indiretamente, por esses representantes eleitos não dedicarem a mesma energia e atenção a temas que afetam a desigualdade no país, como o combate à corrupção.

45. Um projeto de poder

A defesa da família tradicional — um tema que ecoa também em setores conservadores da sociedade entre pessoas não evangélicas — ajuda a eleição de candidatos que, no poder, trabalham para beneficiar as igrejas que eles representam. Esse plano de fazer parte do Estado e da máquina do governo é defendido pelo bispo Edir Macedo, fundador e principal líder da Igreja Universal; e ele se materializa, por exemplo, nas ofertas de ajuda institucional do prefeito Marcelo Crivella, feitas em 2018, para líderes evangélicos no Rio de Janeiro.

Mas se essas igrejas evangélicas já têm sua posição na sociedade como influenciadoras de costumes, de onde vem o estímulo para seus líderes saírem de sua zona de conforto, que são os púlpitos, para ocupar espaços dentro do Estado? A socióloga Maria das Dores Campos Machado, da UFRJ, explica que a motivação para essa entrada na política é a secularização da sociedade. "As diferentes formas de comportamento são regulamentadas pela esfera jurídica; as decisões passam ao largo das igrejas." Em um tempo em que a religião tem menos poder, para a Igreja continuar exercendo a influência na moral pública, o caminho é fazer parte das instâncias que decidem sobre a vida dos cidadãos, como é o caso do Poder Legislativo.

Juntamente com a recuperação do espaço de influência no campo moral, a presença dentro do Estado ajuda a garantir o funcionamento e o crescimento das igrejas. Em seu livro-reportagem sobre o projeto de poder da bancada evangélica, a jornalista Andrea Dip registra: "Para além dos temas morais, os interesses institucionais também unem fortemente a bancada evangélica". Isto se traduz em garantir as concessões de radiodifusão, manter a isenção fiscal das igrejas, obter espaços para a construção de templos e conseguir que eventos evangélicos sejam classificados como culturais para que possam se beneficiar de verbas públicas de incentivo.

De grupo periférico, hoje essa bancada é um dos principais pontos de apoio e de mobilização do governo nas duas casas do parlamento brasileiro, e tem, por isso, maior poder de barganha para negociar os interesses das igrejas. Em outubro de 2018, esse grupo oficializou o apoio ao então candidato Jair Bolsonaro e lançou o manifesto "O Brasil para os Brasileiros", um documento que detalha sua visão sobre a economia e sobre os costumes. Essa bancada, que começou ocupando uma posição subordinada em relação a grupos mais fortes, hoje se coloca como um canal de interlocução importante entre a Presidência da República e o Congresso Nacional; e já em novembro, antes da posse do candidato eleito, influenciou a convocação ministerial defendendo o combate ao chamado "marxismo cultural".

E esse poder de influência está se consolidando, não apenas pela força individual de ação das igrejas e no poder coordenado dos políticos que compõem a bancada, mas agora também pelo esforço para unir as igrejas. Isso é importante, porque existem mais de 1.500 denominações evangélicas atuando hoje no Brasil e, apesar de haver valores comuns, elas ainda atuam de maneira individualizada.

Para a pesquisadora Christina Vital da Cunha, cientista social da Universidade Estadual do Rio de Janeiro, esse projeto vem sendo construído por líderes de várias igrejas, inclusive a Assembleia de Deus, a Igreja Universal e a Sara Nossa Terra. Ela explica que "algumas lideranças têm se unido e tentado superar as diferenças para pensar um plano que será pautado por uma orientação evangélica". Esse projeto tem em vista formar uma espécie de "sindicato das igrejas evangélicas", organismo que dará mais força à ação da bancada por filtrar as diferenças entre as denominações e assim ampliar as possibilidades de ação coordenada de parlamentares evangélicos.

Um dos estudos recentes, publicados sobre as consequências do cristianismo evangélico para a política no Brasil, foi produzido pela cientista política norte-americana Amy Erica Smith. Ela escreve sobre a presença e as atitudes dos políticos evangélicos a partir de dois contextos que se sobrepõem. Por um lado, menciona o aumento, no âmbito institucional, da competição entre evangélicos e católicos, tendo em vista ampliar suas influências no campo político e também suas bases de fiéis. Ao mesmo tempo, ela relaciona o fortalecimento do poder evangélico na política como uma reação às políticas progressistas em relação a sexualidade e família, que resultaram de um quarto de século de presidentes, de FHC a Dilma, com visões políticas progressistas em relação a pautas sobre moral e costumes.

POVO DE DEUS

Smith não concorda que o motivo do crescimento da influência dos evangélicos na política tenha a ver com a imposição da vontade de pastores sobre seus congregados. Ela defende que esse tipo de ação seria mitigado institucionalmente por normas seculares amplamente difundidas. O problema, segundo ela, está no sistema político poroso do Brasil, formado por muitos partidos, o que dá aos líderes religiosos liberdade para selecionar candidatos e depois influenciar substancialmente suas candidaturas. Por isso, a obrigação que esses políticos eleitos têm ao estabelecer prioridades e tomar decisões é mais definida pela vontade e pelos interesses dos líderes religiosos do que pela vontade e pelos interesses dos fiéis das igrejas que os elegeram.

A pesquisa conclui que as consequências do aumento da influência de evangélicos na política de Estado são variadas. Smith aponta, por exemplo, para como as congregações promovem normas cívicas básicas, que geralmente não estão à disposição da população pobre por meio das escolas. Ela também reconhece que a maior presença de políticos evangélicos "melhorou a representação em questões relacionadas à sexualidade e à família, uma vez que a maioria dos legisladores tem estado muito à esquerda de seus constituintes nessas questões".

Dados de outras fontes vão ao encontro do argumento de Smith de que a maioria da sociedade brasileira aprova que a religião influencie ações públicas e que eles votam para defender seus valores em relação, principalmente, à moral familiar. Uma pesquisa recente do Pew Research Center, citada pelo antropólogo Flávio Conrado, registrou que "68% dos brasileiros acreditam que a igualdade de gênero aumentou no país nos últimos 20 anos, e 54% opinam que a diversidade étnica, racial e religiosa também aumentou, [mas] apenas 19% acreditam que os laços familiares se fortaleceram nestas duas décadas. Não é por acaso que 59% da população veem com bons olhos o papel público da religião, entre os quais 67% são religiosamente ativos, como os evangélicos pentecostais". Uma pesquisa realizada em junho de 2019 para o jornal *O Globo* registrou que 55% dos evangélicos concordam que o pastor deve falar de política. São esses os eleitores que, mesmo não sendo evangélicos, se identificam com algumas das propostas de candidatos vindos de igrejas evangélicas.

Na análise de Smith, há também consequências do avanço evangélico que prejudicam a democracia, pelo que ela chama de "nova era da política religiosa no Brasil". Ela aponta, como já foi mencionado em capítulos anteriores, como as ações dos políticos evangélicos se prendem a pautas morais sobre família e sexualidade. Para ela, outro efeito maligno desse fenômeno é que a presença crescente de evangélicos no governo corrói a tolerância política para aqueles que têm posições diferentes sobre religião e política e, ao fazer isso, contribui para ampliar a polarização nos campos político-partidário e religioso.

Essa atitude, que é contrária à diversidade religiosa, indica uma mudança de perspectivas dos grupos protestantes. Conforme o sociólogo Flávio Pierucci lembra, a chegada dos evangélicos ao Brasil no século 19 se deu com a defesa das liberdades individuais para proteger sua condição de minoria em um país predominantemente católico. A defesa do Estado laico garante que todo cidadão possa escolher ser ateu ou ter a liberdade para praticar a religião que quiser. Mas o cristianismo evangélico, que ganha evidência neste contexto de conservadorismo, mudou seu argumento e agora quer reduzir a tolerância à diversidade.

Esse projeto de poder segue um caminho parecido com o dos grupos evangélicos dos Estados Unidos que, como no Brasil, representam aproximadamente um a cada quatro cidadãos. Os segmentos radicais do cristianismo evangélico percebem o mundo dividido apenas entre "nós" e "eles". Nesse cenário, grupos evangélicos ultraconservadores entendem que o trabalho missionário de conquistar novos adeptos está acima da preservação dos direitos individuais. Essa característica de intolerância à diversidade levou um analista americano a defender que lá se classifique os evangélicos como o "Talibã dos Estados Unidos".

Como explica o antropólogo Ronaldo de Almeida, "conforme cresceram demograficamente e atingiram espaços de poder, os vetores mais conservadores do evangelismo brasileiro têm sustentado um entendimento da democracia voltado mais para a vontade da maioria do que para a proteção das minorias ou das diferenças". Para Almeida, seus inimigos comuns são, entre outros, as esquerdas, os direitos humanos, o Estado protetor e a moral secular. Nesse sentido, o entranhamento de grupos evangélicos conservadores via governo Bolsonaro sugere que seus principais alvos serão a redução do papel da escola no tema da educação sexual, a ampliação da violência policial e a criminalização dos movimentos sociais.

Esse projeto de poder está em curso. O Congresso, formado a partir das eleições de 2018, é o que tem o maior número de parlamentares evangélicos: somados, eles são mais de uma centena ou um a cada seis representantes eleitos. Graças a esse crescimento e à coordenação desses parlamentares, esse grupo nunca teve tanta influência no governo federal. Essa proximidade da bancada com o governo Bolsonaro se mantém a uma distância segura dos escândalos e disputas que marcaram o primeiro ano de governo, o que se reflete em algumas falas e promessas do presidente. Em um evento da bancada evangélica em abril de 2019, Bolsonaro afirmou que "o Estado é laico, mas nós somos cristãos", sugerindo que no Brasil o cristianismo tenha prioridade sobre as outras religiões, e também prometeu indicar um juiz "terrivelmente evangélico" para o Supremo Tribunal Federal.

46. Críticas ao movimento evangélico

A semente deste livro surgiu da oportunidade de morar durante 18 meses em um bairro pobre na "periferia da periferia da periferia"

Juliano Spyer

de Salvador e de conviver intensamente com evangélicos, muitos dos quais não se pareciam com a imagem do evangélico geralmente descrita pelos veículos tradicionais de mídia e por muitas das pessoas do meu círculo social: brasileiros de origem familiar europeia, moradores de centros urbanos, que cursaram universidades públicas e só precisaram trabalhar depois de adultos.

Diferente dos estereótipos comuns que compõem a imagem desses religiosos para quem os vê de fora e de longe, muitos dos evangélicos que conheci não eram pessoas que sofreram lavagem cerebral ou que não tinham senso crítico — quem convive nas igrejas sabe como existe muita contestação e que as decisões do pastor geralmente são debatidas e questionadas — e que, querendo melhorar de vida, não faziam carreira na igreja. Tinham seus empregos, abriam negócios, faziam isso às vezes em paralelo, emprego e microempresa, e ainda estudavam e cuidavam dos filhos.

Foi inspirador ver essa motivação para investir em si e nos seus em um bairro tão vulnerável, a 100 quilômetros do hospital mais próximo, onde as crianças e adolescentes não têm ocupação depois que saem da escola e, com seus pais fora de casa trabalhando, convivem diariamente, frente a frente, com as tentações de participar de atividades ilícitas.

Além da experiência de conviver com evangélicos e desenvolver vínculos de confiança com várias famílias pertencentes a igrejas diferentes, graças à pesquisa de campo para o doutorado, que foi sobre outro tema, acabei exposto a uma parte da rica e original literatura sobre cristianismo evangélico, produzida nas últimas décadas, principalmente por antropólogos e sociólogos, muitos deles brasileiros, mas também alguns estrangeiros que estudam o Brasil.

Minha experiência com o cristianismo evangélico é marcada por contrastes: a ideia do evangélico que aparece nos noticiários não corresponde à experiência direta de convívio com evangélicos pobres durante a pesquisa de campo. O ambiente bastante crítico e contestador entre membros de igrejas evangélicas e deles com suas lideranças se choca com o estereótipo do evangélico alienado. A rejeição de alguns às descobertas científicas não condiz com a importância que muitos dão à educação formal. A atitude solidária de pessoas que se importam com seus vizinhos não ecoa com o desinteresse da bancada evangélica pelo combate à corrupção ou mesmo com o individualismo característico das igrejas da tradição protestante.

Por isso, mais do que reafirmar opiniões e posicionamentos já definidos, a ambição deste texto foi tirar o leitor de sua zona de conforto, de sua bolha, e dar elementos aos evangélicos e aos que não são evangélicos para refletirem de uma maneira mais informada sobre esse fenômeno e sobre suas consequências para o país.

As tradições do cristianismo que se desenvolveram ao longo do século 20 no Brasil têm desdobramentos importantes, por exemplo, para o consumo, para a indústria cultural e para a política, entre outros âmbitos. O *slogan* repetido à exaustão pelo então candidato Jair Bolsonaro a presidente — "Brasil acima de tudo, Deus acima de todos" — sinaliza a importância do eleitor evangélico para partidos políticos ou para candidatos que tenham a ambição de serem eleitos para cargos majoritários hoje — inclusive a Presidência da República. Não poderemos entender o país hoje, pensar em negócios, falar em políticas públicas, em democracia, em uso das tecnologias de comunicação, sem considerar esse fenômeno. Mas fazer isso é um desafio que ainda está para ser superado.

Como vimos em vários capítulos deste livro, as igrejas evangélicas e suas práticas estão onde o Estado não chegou e o seu conservadorismo e a sua atuação, no nível local, impactam positivamente famílias, inclusive jovens que estão próximos o suficiente para se envolverem com o crime e se exporem ao uso de *crack*, que é a droga mais popular nos bairros vulneráveis. Um amigo que foi evangélico relatou: "Quando eu estudava no Senai e já trabalhava aos 14 anos, percebi que muitos dos meus amigos foram 'salvos' porque se desenvolveram como [pessoas] responsáveis muito mais rápido do que qualquer um da nossa idade".

Mas, ao mesmo tempo, a defesa das pautas morais também limita em vez de fazer avançar as conquistas sociais que diminuíram a desigualdade e melhoraram a saúde, a educação e o controle da criminalidade. Para muitos evangélicos, contanto que *gays* não possam se casar e adotar órfãos, que drogas não sejam legalizadas (apesar da evidência científica e dos casos documentados das consequências positivas disso em termos de redução do tráfico e melhora das chances de recuperação dos dependentes), contanto que o aborto continue proibido (mesmo tendo em vista as consequências terríveis da falta de alternativas legais de aborto para mulheres pobres), o restante pode continuar da maneira como está.

Com este livro eu me propus, desde o início, a apresentar ao leitor os principais estudos recentes sobre evangélicos e dessa maneira ajudar que o cristianismo evangélico possa ser valorizado pelo que traz de positivo e também criticado naquilo que prejudica a sociedade. Esses são objetivos ambiciosos quando saímos do campo das ideias e nos defrontamos com as sociedades que, além de complexas e contraditórias, também estão em processo de transformação constante. Ainda assim, listo a seguir as questões que, enquanto cidadãos, devemos criticar em relação às consequências da expansão do cristianismo evangélico na sociedade:

> a) Os protestantes são defensores históricos das liberdades em geral. A tradição cristã que emerge da Reforma Protestante abriu caminho para que o cristianismo não se mantivesse como monopólio da Igreja Católica e que cristãos pudessem mudar de igreja, criar novas igrejas e se afastar de igrejas, se essa fosse a vontade de sua consciência. Ao chegar a um país entranhado de catolicismo, protestantes históricos e

evangélicos defenderam na sociedade o direito à liberdade religiosa para que as pessoas tenham o direito de escolher como conduzir sua vida espiritual. Essa perspectiva está mudando, e hoje igrejas, especialmente pentecostais e neopentecostais, mas não só elas, vêm se tornando contrárias à tolerância religiosa e, portanto, à preservação dos direitos individuais dos cidadãos. Essas organizações estão assumindo uma postura missionária de impor sua visão, seus valores e suas vontades para toda a sociedade. Ao fazerem isso, reaproximam Igreja e Estado e enfraquecem a noção de que o Estado deve ser laico e proteger igualmente os que não creem e, entre os que creem, os representantes de toda e qualquer tradição religiosa. Um dos meios de interferência mais sensíveis é pela influência de representantes cristãos no Ministério da Educação e Cultura (MEC) para levar valores bíblicos via políticas educacionais.

b) A instrumentalização da fé na política se dá quando organizações evangélicas ajudam a eleger representantes para ocupar cargos no governo e usam esses políticos como despachantes, não especificamente dos interesses de suas congregações, mas dos objetivos de organizações privadas para ampliar sua influência e poder sobre a sociedade. Isso significa, na prática, o uso do espaço das igrejas para a promoção de candidatos que, eleitos, terão como referência para governar não os seus eleitores, mas os líderes das organizações que os apadrinharam durante a campanha eleitoral.

c) A profissionalização do funcionamento de algumas igrejas tem sido um fator diferenciador para a eleição de candidatos evangélicos. Essas organizações dispõem de acesso a canais de comunicação que vão da presença em plataformas de mídias sociais ao uso de canais tradicionais como rádios e emissoras de TV. Evangélicos são hoje uma força suprapartidária cuja influência, por meio de sua bancada, é numericamente maior do que a de qualquer outro partido político.

d) Mesmo se configurando hoje como um grupo importante no Congresso, a bancada evangélica até este momento é formada por um grupo diverso de políticos e de partidos que convergem principalmente em relação à defesa de valores morais conservadores e para assegurar os direitos das igrejas. Mas, conforme vimos nos últimos capítulos, há uma negociação em curso para criar aquilo que pode ser chamado de um "sindicato de igrejas". Esse novo organismo promete adicionar agilidade e força às ações das igrejas no Congresso Nacional.

e) Políticos e organizações evangélicas recorrem frequentemente à ideia de que a família e a Igreja estão em perigo para mobilizar fiéis a votar em candidatos ligados às igrejas. Esse argumento é baseado, principalmente, na defesa de pautas morais conservadoras para fortalecer a "família natural" em oposição às uniões homoafetivas, à manutenção da proibição ao comércio e ao uso de drogas (particularmente da maconha) e o fortalecimento da repressão policial ao crime. Esses posicionamentos aproximam representantes evangélicos — predominantemente eleitos por pessoas das camadas populares — de políticos que representam os valores mais retrógrados e elitistas da sociedade, como são as bancadas do agronegócio e da bala. Essa aproximação se desdobra, por exemplo, na manutenção e no fortalecimento de ações policiais que vitimam jovens pobres cujas famílias não têm poder para reclamar de uso desnecessário de força ou de ações motivadas pelo racismo nas atuações policiais. Esses políticos, muitas vezes, apoiam pautas morais relacionadas à sexualidade ou consumo de drogas, mas não se interessam nem participam de projetos humanitários, por exemplo, para reduzir a corrupção no Estado, contra a invasão de terras indígenas, pelo combate ao trabalho escravo, por ações do Estado para reduzir a desigualdade estrutural da sociedade, pela defesa da qualidade da educação pública e pelo apoio a iniciativas que reduzam os efeitos do aquecimento global.

Este livro apresentou dezenas de dados e argumentos para mostrar que os evangélicos são um fenômeno social pouco conhecido e tratado com preconceito pelos setores mais escolarizados da sociedade. Até esta conclusão, o livro apresentou resultados de estudos para ajudar o leitor a ver além de uma imagem simplista e desinformada sobre esses religiosos. A partir dessa nova perspectiva, é possível usar a energia, geralmente dispendida para atacar espantalhos, para abrir frentes de debate relevantes para a sociedade, que sejam favoráveis aos cidadãos, independentemente de seus entendimentos sobre Deus e sobre religiosidade.

47. Tirar o leitor da zona de conforto

A responsabilidade de mudar esse quadro não está somente a cargo dos evangélicos. Neste livro argumentei que a rejeição ingênua a um evangélico caricato esconde também uma relação difícil das camadas média e alta com os pobres do país. Não falei aqui do pobre exótico e "culturalmente relevante", de praticantes das religiões de matriz afro, de capoeiristas, de indígenas, de quilombolas, mas do pobre urbano comum, que vive principalmente nesse lugar que hoje chamamos de "periferia".

Esse pobre "sem grife" é faxineiro, garçom, motobói, atendente de *telemarketing*, pedreiro e, mais recentemente, motorista de aplicativos como Uber e 99. É ele que enche os galpões e as garagens das igrejas evangélicas. A distância no convívio entre as pessoas com mais e as com menos escolaridade reflete, conforme escreveu a antropóloga Claudia Fonseca, o desinteresse das camadas média e alta no Brasil por essa população mais vulnerável. Na esfera política e das campanhas eleitorais, esse desprezo é, muitas vezes, compensado com negociações de acordos de conveniência com líderes evangélicos que têm agendas próprias e que não estejam abertos a discussões sobre o combate a injustiças e desigualdades estruturais.

As resistências para o estabelecimento de pontes de diálogo com essa população existem até mesmo dentro da academia. A antropóloga da religião Diana Lima conta que já teve seu tempo cortado em uma apresentação em um evento acadêmico, enquanto mostrava resultados de uma pesquisa que fez sobre a Igreja Universal. Em outra ocasião Diana foi questionada, depois da apresentação em um congresso universitário, se ela "gostava ou defendia a Igreja Universal" — na verdade, essa intervenção foi menos uma pergunta do que uma forma de intimidação pública. Diana respondeu que, como intelectual, não concordava com os valores e as visões de mundo desses religiosos, mas que como ser humano gostava, sim, que, na falta de qualquer outro mecanismo institucional de apoio, pelo menos as igrejas estejam cuidando de quem a sociedade não consegue cuidar.

Outra dificuldade para que o debate aconteça de maneira mais produtiva entre evangélicos e não evangélicas é uma incompatibilidade entre a visão do mundo científica, racionalista, de origem iluminista, e uma perspectiva que pode concorrer ou competir com essa, na medida em que pressupõe a existência de um ser supremo que criou o Universo, está presente em todos os lugares, e que por isso define como as coisas devem acontecer — e que, portanto, controla as leis naturais em vez de ser controlado por elas.

Esse confronto de perspectivas talvez não existisse se o projeto iluminista tivesse tido sucesso em solucionar os problemas do mundo. Ideias como república, razão e ciência não corresponderam às suas promessas. Duzentos e vinte anos depois da Revolução Francesa, que representa para os historiadores essa ruptura com a ideia de um mundo hierarquizado, dividido por castas, a visão de um mundo mais justo e humano baseado em "liberdade, igualdade e fraternidade" não se consumou. Em vez disso, o imperialismo europeu provocou mais instabilidade pelo planeta. O fortalecimento do cristianismo evangélico, em parte pelo menos, explicita o fracasso desse projeto de transformação do mundo pela razão esclarecida das pessoas.

O desafio, portanto, é múltiplo, se manifesta e é percebido de maneiras diferentes por pessoas de origens socioeconômicas e culturais diferentes. Dialogar implica, antes de tudo, conseguir cultivar o tipo de vigilância epistemológica (natureza do conhecimento e seus desdobramentos) que os antropólogos praticam. Isso quer dizer estar constantemente se perguntando de onde falamos e com quais lentes estamos olhando para as pessoas diferentes de nós.

Essa vigilância é importante, por exemplo, para se perceber como a antipatia primordial, generalizada e quase autoevidente (que não precisaria ser explicada) pelos cristãos evangélicos hoje tem a ver com preconceitos de classe e também com uma visão de mundo influenciada por valores católicos e que espera, por exemplo, uma conduta de humildade e submissão do pobre. A rejeição ao evangélico — à sua religiosidade, à sua vontade de prosperar e de participar da política — sugere um desejo que ele ou ela "sabia seu lugar" na sociedade. Essa "reflexibilidade" para trocar de lugar com o outro possibilita uma reinterpretação da realidade para além da fórmula que entende a religião apenas como fenômeno histórico com finalidade de manipulação política.

Outro lado desse desafio deve considerar as consequências perversas para a sociedade da infiltração do cristianismo evangélico no governo. O *slogan* "Deus acima de todos" denota uma pretensão que acha que o outro está doente, segundo seu entendimento, e pretende forçar uma cura de cima para baixo, via intervenção em políticas públicas. A mesma liberdade de pensamento e de culto que o evangélico deseja para si, ele ou ela deve defender para quem não é evangélico.

Isso é mais fácil de ser dito do que ser posto em prática, até porque a democracia não é um regime perfeito; opiniões são constantemente negociadas e renegociadas, campanhas de informação são instrumentos comuns para influenciar decisões do governo e, no fim das disputas, uma visão prevalece e a outra é derrotada. Muitos dos evangélicos que hoje declaram apoio a Bolsonaro também apoiaram os ex-presidentes Lula e Dilma durante seus governos.

Nesse sentido, o fenômeno do cristianismo evangélico no Brasil se torna uma espécie de charada. Seu crescimento vem acompanhando o avanço da desigualdade no país. Igrejas se multiplicam onde outras formas de serviço assistencial não estão disponíveis. O alcance de "vitórias" que não são necessariamente traduzidas em melhora socioeconômica — mas podem ser — é o que sustenta a presença cada vez maior deles em todos os âmbitos da sociedade. Eles estão trabalhando mais, estudando mais, consumindo mais e também participando mais das decisões políticas do país. Mas a prosperidade das famílias é uma condição que muitas vezes atenua o radicalismo de suas visões. Uma sexagenária da Igreja Batista indicou essa contradição ao avaliar por que os filhos dela, que ao contrário dela não precisaram trabalhar na infância, deixaram de frequentar a igreja quando foram fazer faculdade:

— Talvez um pouco de sofrimento ajudasse a fortalecer a fé deles...

48. Aquecimento global, Covid-19 e o futuro do cristianismo evangélico

Ao longo dos últimos anos, pessoas, grupos e organizações nacionais e internacionais têm, gradualmente, demonstrado maior interesse pelo fenômeno do cristianismo evangélico, especialmente o pentecostalismo, em lugares como América do Norte, América Latina, África, partes da Ásia e mais recentemente também na Europa, que é o berço do protestantismo. Essas pessoas e organizações entenderam que haverá pouco avanço em suas agendas políticas sem a abertura de canais de diálogo com grupos evangélicos, considerando o tamanho desta população e sua influência crescente na sociedade.

O texto deste bloco é o resultado preliminar de uma encomenda de estudo, vinda de uma organização internacional, para entender as percepções de pentecostais e neopentecostais no Brasil sobre temas ligados à agenda climática. Esse assunto abrangente se desdobra em vários outros, como preservação das florestas, relação com as populações indígenas e adoção de projetos de desenvolvimento sustentáveis. E, considerando as mudanças aceleradas que aconteceram no mundo a partir de 2020, nesse capítulo também examino como a pandemia, provocada pela Covid-19, foi percebida pelos evangélicos brasileiros.

Complexidade

O argumento principal do capítulo é que a visão conservadora em termos de costumes, especialmente de pentecostais, associada à popularização da Teologia da Prosperidade, produz um *loop* (ciclo) que amplia a destruição ambiental: a desordem climática leva a mais deslocamentos humanos para áreas florestais em busca de oportunidades de melhora de vida, e o protestantismo evangélico emerge nesses espaços para confortar essa população e prometer a esperança de uma vida melhor, mais segura, estável e próspera economicamente, por via de queimadas para ocupar terras e pela extração de madeira. Mas, como vem sendo ressaltado neste livro, o cristianismo evangélico é um grupo vasto, heterogêneo e complexo.

Trata-se, portanto, de apontar tendências que podem ser observadas nas respostas que muitos dos grupos apresentam para a questão ambiental, e não há uma resposta única que reflita a percepção de todos os evangélicos. Por exemplo: a cientista política Amy Erica Smith afirma, com base em estudos que ela realizou, que o cristianismo evangélico brasileiro não segue a visão predominante entre cristãos americanos de que o homem deve "dominar" o planeta. Segundo Smith, as igrejas evangélicas brasileiras promovem a perspectiva ambientalista. Ela argumenta que "muitos protestantes conservadores no Brasil não apenas acreditam em mudança climática e percebem isso como um pecado. Alguns até veem a destruição do meio ambiente como um sinal da chegada do Apocalipse". Pandemia, pragas de gafanhoto etc., isso tudo "é para mostrar ao ser humano que ele não é maior que Deus", resumiu um evangélico conhecido.

É neste ambiente complexo, em processo contínuo de mudanças e agora acelerado pela pandemia, que discutimos como muitos evangélicos brasileiros entendem e reagem às mudanças climáticas, à vida das populações indígenas e à devastação das florestas.

Direitos indígenas

O tema da preservação dos direitos indígenas não é um assunto discutido entre a maioria dos pentecostais e neopentecostais brasileiros, a não ser quando é falado em relação ao trabalho missionário. Existe um entendimento em voga dentro de alguns círculos evangélicos de que a segunda vinda de Cristo apenas acontecerá quando todos os povos da Terra estiverem evangelizados. Essa seria uma das pré-condições para Cristo retornar. No Brasil, essa interpretação mobiliza grupos de evangélicos a promover ações para levar os ensinamentos bíblicos e dar a oportunidade de conversão a grupos indígenas, especialmente os que ainda não foram contatados por brancos e que, portanto, permanecem isolados em seus territórios.

Há um acordo internacional desde 1987 para que esses povos não sejam contatados a não ser por decisão deles próprios, e a política indigenista brasileira vinha respeitando esse direito. E ao longo das últimas décadas, muitas dessas populações demonstraram o desejo de permanecerem isoladas.

No contexto do governo liderado por Jair Bolsonaro, com a Funai enfraquecida e suas políticas em retrocesso, essa visão vem sendo flexibilizada para permitir o acesso de ações missionárias aos povos isolados. Existe muito apoio político no Congresso e neste governo para possibilitar projetos evangelistas para povos indígenas. Há mobilizações, por exemplo, com essa finalidade. A Missão Novas Tribos do Brasil (MNTB) é uma entidade religiosa que atua no país desde os anos 1950 para evangelizar índios. Em janeiro de 2020, essa organização anunciou a compra de um helicóptero avaliado em R$ 4 milhões para levar missionários a tribos situadas em locais pouco acessíveis na floresta amazônica.

Esses indígenas são percebidos como "povos perdidos" e que, portanto, na perspectiva desse cristianismo, estarão condenados ao inferno se não forem evangelizados. Esse tipo de debate não é recente entre organizações evangélicas no Brasil. Já na década de 2000 houve um grupo, do qual a ministra Damares Alves participou, que defendeu que eles deveriam também ser contatados por causa de suas práticas primitivas, incluindo aquela classificada pelos religiosos como infanticídio. Por exemplo, em 2009, lideranças indígenas do Mato Grosso denunciaram a ação de organizações do Brasil e dos Estados Unidos por sequestrarem crianças indígenas com a justificativa de evitar o infanticídio.

Desmatamento e sustentabilidade

Conforme indicou o Censo brasileiro de 2010, o maior grupo de evangélicos no país pertence às categorias "Evangélica não determinada" e "Outras Igrejas Evangélicas pentecostais". Juntos, esses grupos correspondem a mais de 14 milhões de brasileiros, sendo que a Assembleia de Deus, que é a organização mais popular do país, reúne cerca de 12 milhões de fiéis. Um número significativo de evangélicos, portanto, faz parte de igrejas pequenas que resultam do "empreendedorismo religioso". Diferente dos ideais pentecostais promovidos nas primeiras décadas do século 20, que falavam fundamentalmente na promessa de uma vida melhor no paraíso, depois da morte física, muitos hoje defendem a ideia de que "o paraíso é aqui". "Você nasceu para ser cabeça, não cauda." Você deve "comer o melhor da Terra".

Para muitos fiéis dessas igrejas pequenas, que se multiplicam nas periferias das cidades grandes e pequenas, a mensagem da Teologia da Prosperidade é, frequentemente, defendida, por exemplo, na ideia de que a Terra é uma dádiva de Deus aos homens para que todos possam prosperar e viver com abundância de bens materiais aqui e agora. Ricardo Bitun, sociólogo da religião, menciona um panfleto cujo autor, adepto dessa teologia, afirma que Jeová "transforma o deserto [...] num poderoso *shopping center*". Para o trabalhador evangélico morador das urbanizações recentes abertas na região amazônica — entre as campeãs em desmatamento como Zé Doca, no Maranhão; Xinguara, no Pará; Xapuri, no Acre; e Xambioá, no Tocantins — é o desmatamento que trará a riqueza que abrirá o *shopping center* onde ele irá consumir.

Esses brasileiros, ainda mais empobrecidos pela pandemia da Covid-19, não estão interessados em grandes abstrações como são as ideias sobre o aquecimento global e sobre o desenvolvimento sustentável. Eles têm como referência o que acontece dentro de suas famílias e de suas igrejas, e aquilo que pode melhorar suas condições de vida. Para eles, o resto do mundo — ou seja, tudo o que não é o entorno imediato de suas vidas — é um lugar distante e abstrato. Percebi isso em 2013, durante as chamadas Jornadas de Junho, que levaram milhares de brasileiros a participar de protestos contra a corrupção nas ruas do Brasil. Na localidade em que eu estava morando, no extremo norte da Grande Salvador, as notícias das passeatas que aconteciam a menos de cem quilômetros dali não mobilizavam a atenção dos meus vizinhos. Para eles, esses eventos poderiam estar acontecendo na Espanha ou no Egito. Passeatas anticorrupção e sustentabilidade são percebidas, geralmente, como assuntos distantes, porque, do ponto de vista desses brasileiros, são temas que não resolverão os problemas imediatos de suas vidas.

Por isso vemos, nas áreas de desmatamento, muitas dessas pequenas igrejas — os resultados desse empreendedorismo religioso — reunindo os fiéis, e vemos também vídeos das orações que eles fazem, circulando na internet. Os pastores rezam junto à comunidade daquela igrejinha para Deus proteger os irmãos que saem para fazer queimadas. Rezam para Deus protegê-los de serem pegos fazendo contravenções. Rezam para que o Ibama não apareça para atrapalhar, porque — e essa é a noção compartilhada nesses espaços — as normas ambientais impedem a prosperidade. E nesse ponto, o presidente Jair Bolsonaro ganha muito espaço, pois ele demoniza os ambientalistas, o ambientalismo e as instituições públicas de proteção ambiental, como o Ibama.

Em 2020, nos primeiros meses da pandemia de Covid-19, a agência climática Purpose encomendou ao instituto de pesquisas Behup uma pesquisa qualitativa para identificar a importância do tema ambiental para cristãos evangélicos pentecostais e neopentecostais. Eu fui o coordenador desse estudo. Na primeira etapa os duzentos participantes distribuídos por todas as regiões do país responderam à questão: — "Como você e os seus irmãos e irmãs cristãos percebem a pandemia? Por que isso está acontecendo?" Essa coleta teve o objetivo de registrar se o evangélico relacionava espontaneamente a pandemia do Covid-19 à crise ambiental.

Três narrativas predominaram nas respostas:

A primeira associava a pandemia a um "Chamamento de Deus". Segundo essa explicação, Deus permitiu que a pandemia aconteça para lembrar as pessoas de suas responsabilidades. O ser humano é egoísta, se importa com assuntos materiais, comete erros e a pandemia é uma maneira de educar a humanidade, para ela entender o que tem feito de errado. Respondentes falam, por exemplo, que "Deus permitiu a pandemia. Mas isso não quer dizer que Deus seja um carrasco. Às vezes, quando temos muitas coisas [confortos], nos esquecemos do Senhor. E ele permite que essas coisas aconteçam para nos lembrarmos dele. Nós castigamos os nossos filhos para eles saberem que nós os amamos e nos importamos. Deus castiga quando a gente erra. Assim aprendemos que ele é Deus."

A segunda narrativa percebe o evangélico como fanático que acredita que na interpretação literal da Bíblia e que a Bíblia revela a vontade inquestionável de Deus para os homens. A pandemia é um sinal de que o apocalipse está se aproximando. Um dos participantes explica que "A pandemia representa o cumprimento das profecias. Estas pestes estão na Bíblia. É o cumprimento da palavra de Deus. Tudo o que tem na Bíblia tem que acontecer."

Finalmente, uma parte dos respondentes demonstraram irritação pela sugestão da pergunta de que "porque a pessoa é evangélica ela vai dizer que a pandemia é o resultado da 'ira de Deus'". Os respondentes não aprovam a propagação do estereótipo do evangélico fanático. A seguir estão alguns exemplos dessas falas: "Destruímos a natureza, Deus não é o culpado, o culpado somos nós. Não acredito que exista uma explicação bíblica." Ou: "A pandemia é um problema como os outros e o cristão também tem que se cuidar. Não estamos imunes." Ou ainda: "É o resultado de uma crise sanitária. Se resolverá. Não é o fim dos tempos. A igreja está fechada, fazemos os cultos online e quando a situação se normalizar vamos retomar as atividades."

A etapa seguinte da mesma pesquisa já associou o tema da proteção do meio ambiente à religiosidade ao perguntar: "Como cristão, quais você acha que são os erros da sociedade hoje em relação ao meio ambiente? E o que podemos fazer para melhorar?"

O disparo aconteceu no dia 5 de agosto para duzentos respondentes que se identificam como pentecostais ou neopentecostais. A pesquisa selecionou participantes proporcionalmente por sexo e região do país. As narrativas principais que emergiram desses registros mencionam:

Sustentabilidade prática: o cristianismo evangélico é um fenômeno registrado majoritariamente nas camadas populares do Brasil. Para os brasileiros moradores das periferias urbanas, as consequências do descuido com o meio ambiente se tangibiliza na experiência dos alagamentos. Esse tema abre os caminhos narrativos relacionados a seguir: Descarte de lixo nas ruas: "Eles acham que o que se planta hoje, não vai colher. Se plantar coisas ruins, no futuro virá coisas ruins. As enchentes invadem casas porque os bueiros estão cheios de lixo e as pessoas não prestam atenção que vai fazer mal pra elas próprias." Separar e reciclar o lixo: "Faz falta cuidar do lixo. Todo mundo poderia fazer isso. A gente tem uma cidade muito suja. Se cada um fizesse a sua parte a gente teria um Brasil mais limpo e menos enchentes. Se todo mundo fizesse a separação do lixo, já seria um bom começo".

"Temos que dar o exemplo": Os trechos a seguir repetem a ideia principal de que o evangélico deve liderar não apenas pela maneira como pensa, mas principalmente por suas ações. "Nós como cristãos temos que ser o exemplo para os outros. Mesmo na igreja, a gente vê que a pessoa bebe água, joga o copo no chão, joga chiclete, joga papel no vaso sanitário, suja tudo. Nós é que temos que ser diferentes. Nós somos o sal da terra, temos que ser a diferença, a luz do mundo. Não podemos agir como os outros agem." Ou: "Os cristãos costumam ignorar o meio ambiente jogando papel, sujando, e mesmo assim acha que a sua crença ele é melhor do que a do ímpio. Podia fazer muito mais dando o seu exemplo." Ou ainda: "Não adianta ser cristão e não dar exemplo. Ser organizado, cuidar de sua casa, cidade, natureza. O exemplo de Cristo se encaixa em tudo. Devemos ser a excelência e o exemplo dele.

Ganância, egoísmo, consumismo: O argumento é o de que o homem comete erros ao pensar apenas em si, em sua satisfação, só no presente e não no futuro. Algumas falas de participantes: "As pessoas estão dando mais valor ao dinheiro. Desmatam para criar gado, destruindo a floresta para enriquecer. Fazendeiros, grandes empresários. É um erro destruir o meio ambiente. Poucas pessoas causam grande destruição. O povo evangélico quer preservar a vida e a natureza." Ou "Os principais erros das pessoas hoje são a ganância e o egoísmo. Quando você deixa de pensar o que você está deixando para as próximas gerações e pensa só no lucro, sem se preocupar com fauna e flora, isso traz grandes perdas para as gerações futuras. Temos que nos colocar no lugar das outras pessoas.

Segundo o mesmo estudo, estar próximo de locais onde aconteceram queimadas — por exemplo, a área do Pantanal em 2020 — e desmatamento não alteram as percepções dos cristãos. Nesse sentido, os dados sugerem que evangélicos moradores da região Norte, onde está localizada a floresta Amazônica, não divergem profundamente em termos de opinião sobre sustentabilidade do que aqueles que vivem nas outras regiões do país. As entrevistas indicaram que classe e escolaridade aparecem como elos mais fortes entre respondentes. Os cristãos que percebem que suas igrejas atuam em defesa do meio ambiente apontam para esforços no âmbito da comunicação que pastores podem e ocasionalmente usam para falar sobre esse assunto, em cultos, pregações, em palestras para a sociedade, em seus canais online e — mencionado enfaticamente — nas aulas das escolas dominicais para as crianças. Além da comunicação, fiéis registram que algumas igrejas realizam mutirões para catar lixo nas ruas, em praias, em mangues, e fazem também mutirões para plantar árvores em suas igrejas, em parques e em escolas.

A sustentabilidade geralmente é debatida como um problema científico, que acontece no âmbito da atmosfera da Terra ou nos mares, e é comunicada como sendo um assunto que trará problemas no futuro. A perspectiva do evangélico, segundo a pesquisa da Purpose, coincide com a do brasileiro das camadas populares em geral. A proteção ao meio ambiente faz sentido para os respondentes quando ela se torna um assunto tangível, que faz parte do cotidiano, por exemplo, em relação ao lixo jogado nas ruas que entope bueiros e acentua o efeito das enchentes. A proteção do meio ambiente também tem a ver com economizar recursos: ter um mecanismo para que as luzes da igreja sejam apagadas fora dos horários de uso, reciclar água da chuva, utilizar materiais descartados como tijolos e pneus para construir as igrejas; coletar latas de alumínio para financiar as obras sociais da igreja; estimular a coleta de lixo para frequentadores da igreja em situação de rua e que precisam de fontes de renda; e oferecer oficinas para produção de brinquedos durante as aulas dominicais para crianças.

Outro limitador para o debate sobre o meio ambiente acontecer nas igrejas, segundo os dados da Behup/Purpose de 2020, é a proximidade do debate ambiental com temas políticos. Os participantes da pesquisa quase não falaram sobre ambientalismo como um problema a ser debatido no campo da política. Algumas igrejas como a Congregação Cristã do Brasil não aceitam que seus membros tragam assuntos políticos para dentro das igrejas. A política também é um assunto delicado para muitos desses cristãos na medida em que evangélicos são frequentemente criticados publicamente por conta das pautas morais defendidas pela bancada evangélica e pela atuação missionária de algumas igrejas para catequizar indígenas.

Esses resultados dialogam com a pesquisa do sociólogo Renan William Santos, da USP, que atuou como consultor no estudo da Purpose mencionado acima e estuda a relação entre religiões cristãs e o meio ambiente. Ele aponta que evangélicos brasileiros manifestam simpatia pela questão ambiental na maioria das pesquisas sobre esse tema que incluem amostras de respondentes classificados por religião. Os resultados de seu trabalho de campo indicam que grupos minoritários têm leituras sobre os textos bíblicos que diminuem a importância da pauta ambiental. Uma parte explica que o papel da igreja não é salvar o planeta, mas salvar almas tendo em vista o entendimento de que o fim do mundo está próximo. Outros justificam o desinteresse falando sobre o trabalho social que as igrejas já realizam com presidiários e dependentes químicos, por exemplo. Nesse caso, o tema ambiental não é desmerecido; esses evangélicos apenas entendem que sua atuação, norteada pela proposta de amar o próximo, é de cuidar de pessoas em situações adversas.

Renan afirma que os evangélicos que se consideram ambientalistas também entendem que o ser humano pode usufruir da Terra, contanto que esse domínio seja responsável. E a obrigação de cuidar da criação divina independe da proximidade do fim dos tempos. Mas obrigação de "cultivar e guardar" seria um passo a mais, segundo Renan, e só é defendida e posta em prática por uma minoria que leva o compromisso um pouco mais longe. Em outras palavras, as pregações como a do "cultivar e guardar", apesar de raras, são bem aceitas por evangélicos de modo geral, apesar de prevalecer a concepção antropocêntrica "tradicional". Não haveria uma barreira teológica já que os evangélicos não resistem em "refinar" a narrativa da criação em uma direção mais ecológica. Renan ressalta, contudo, que a pregação ecoteológica dificilmente leva os fiéis a transformar a pauta em uma prioridade e, por isso, tende a resultar em grandes transformações nas práticas cotidianas dos fiéis. Apesar da simpatia difusa pela defesa do meio ambiente, há pouco comprometimento prático do evangélico com ações e lideranças políticas que atuam na defesa de formas sustentáveis de desenvolvimento.

"Nas entrevistas que venho conduzindo com pastores e outras lideranças evangélicas , a 'queixa' principal é a de que, apesar da boa aceitação das pregações sobre a necessidade de 'cuidar da criação', seus pares (outros pastores) e o público evangélico em geral (fiéis regulares) dificilmente incorporam essa pauta como uma prioridade religiosa," esclarece o sociólogo. Para ele, "as particularidades teológicas são menos importantes que a dinâmica de interesses dos dirigentes das diferentes denominações evangélicas, não só em termos materiais (econômicos) e de competição religiosa, mas também em termos políticos, relacionados às disputas de poder em que muitas dessas igrejas estão envolvidas. Nessa linha, a difusão de leituras ecoteológicas nos púlpitos e o apoio às iniciativas ambientais propostas por membros de denominações evangélicas tende a ser inversamente proporcional ao envolvimento de suas lideranças em alianças com setores como o agronegócio, por exemplo, e com grupos políticos conservadores, que geralmente enquadram a pauta ambiental como uma pauta de 'esquerda'."

Ciência, ateísmo, comunismo e ambientalismo

Desde a polarização do debate político, em 2014, passando pela campanha presidencial de 2018 até o início do governo Bolsonaro, líderes evangélicos conservadores frequentemente associam proteção a indígenas, proteção a outras minorias como quilombolas e ribeirinhos, proteção das florestas e o debate sobre mudanças climáticas com bandeiras "da esquerda", "do comunismo" e que, portanto, esses assuntos são — segundo essa ótica — contrários a Deus.

Entra ainda neste discurso a rejeição à ciência, que seria também "comunista". O argumento é que a ciência rejeita Deus e desacreditaria o Evangelho; portanto, ela é "coisa de ateus". A ciência seria uma doutrina defendida por comunistas ateus para atrapalhar os trabalhos evangélicos. Mas, paradoxalmente, as pessoas que atacam a ciência não consideram, por exemplo, que as roupas de tecidos especiais, os carros ou os aparelhos celulares que elas compram também são produtos da ciência e não existiriam sem o trabalho científico.

Pandemia e Covid-19

Há, em 2020, muitos vídeos circulando nas redes evangélicas na internet falando sobre o fim do mundo. Em geral, essas pessoas não sabem como na história da humanidade aconteceram situações terríveis em outros períodos, recentes e longínquos. Por isso elas estão sensíveis a mensagens que dizem que o fim está próximo. Essa visão de a Covid-19 e a pandemia serem o produto da ira de Deus é reforçada por declarações como a do reverendo Ralph Drollinger, ligado ao presidente Donald Trump, de que a Covid é uma punição divina a *gays*, ambientalistas e pessoas com "mentes depravadas".

Muitos evangélicos brasileiros, vendo o mundo de dentro de suas pequenas comunidades, não prestam atenção no que está distante da vida deles. Existe uma pandemia, e na sequência apareceu uma praga de gafanhotos na fronteira do Brasil com a Argentina. Esse evangélico se sente impotente diante dessas informações; as explicações disponíveis para o que precisa ser feito para salvar o mundo parecem complexas e abstratas. A ideia de que estamos nos aproximando do fim dos tempos e que este mundo em que vivemos será destruído e depois Deus fará um novo céu e uma nova Terra leva muitas pessoas a acreditar que não vale a pena tentar melhorar o planeta, porque será inútil.

Se por um lado a Teologia da Libertação, surgida na Igreja Católica, apontou para ideias de que era possível transformar o mundo combatendo as injustiças sociais e agindo sobre o Estado para criar novas políticas públicas, esses argumentos geralmente perderam apelo diante do projeto protestante historicamente individualista. As dificuldades da vida são resolvidas por meio do contato direto com Deus. E em contextos de muito sofrimento, deslocamentos populacionais e desigualdade de acesso a serviços, a promessa da Teologia da Prosperidade acena como uma solução aos brasileiros que não desfrutam da proteção do Estado e diariamente estão cercados de dificuldades.

Juízo final

Na maior parte deste livro argumento, partindo de estudos e dados recentes, que brasileiros pobres melhoram de vida quando se convertem ao protestantismo evangélico. Mas falta ainda responder o que tornou o movimento evangélico tão popular nas últimas décadas — no Brasil e no mundo — e qual seria seu limite de crescimento?

O pentecostalismo nasceu em uma igreja abandonada em Los Angeles em um contexto de grande migração de trabalhadores rurais de outras partes dos Estados Unidos e de outros países para a Califórnia. Similarmente, no Brasil, a popularização das igrejas pentecostais nos anos 1970 e 1980 aconteceu em paralelo com um fenômeno migratório sem precedentes no país, no qual trabalhadores rurais do Norte e Nordeste buscavam oportunidades nas cidades do Sul e do Sudeste. Partindo de dados semelhantes a esses, o historiador americano Mike Davis escreveu que o pentecostalismo é "a resposta cultural mais importante para a urbanização explosiva e traumática" na América Latina.

Neste livro me propus, desde o início, a não explicar a adesão ao pentecostalismo apenas por motivações instrumentais. Pesquisadores que presenciaram cultos pentecostais reconhecem que a conversão envolve mais do que a busca racional por melhora de condições materiais; ao mesmo tempo vemos como o pentecostalismo (e mais recentemente o chamado neopentecostalismo) brota e se desenvolve em ambientes de "urbanização explosiva e traumática". Nesse sentido, o crescimento desta tradição do protestantismo no Brasil também será condicionado pelo sucesso ou fracasso de ações de combate à desigualdade social.

Eu ainda estava trabalhando neste livro em dezembro de 2019 quando a revista *Time* anunciou que a adolescente sueca Greta Thunberg foi escolhida como personalidade do ano. Ela se tornou conhecida por liderar uma campanha chamada a "Greve Escolar pelo Clima", mobilizando jovens no mundo inteiro a parar de ir à escola e protestar contra o desinteresse dos líderes globais em relação à iminente crise ambiental.

A vitalidade do cristianismo evangélico no Brasil e no mundo, no futuro próximo, está vinculada às consequências ainda incertas do aquecimento planetário. O jornalista David Wallace-Wells, autor do best-seller *A Terra Inabitável*, diz que já não é possível evitar o caos climático, mas apenas mitigar suas consequências. Se as emissões de poluentes não forem controladas e a temperatura do planeta continuar subindo, cientistas estimam que a seca afetará mais de 350 milhões de pessoas em 2030, e mais de 120 milhões viverão em situação de pobreza extrema.

A guerra na Síria, iniciada em 2011, levou 1 milhão de refugiados a buscar abrigo na Europa. Os efeitos esperados das mudanças climáticas serão muito maiores. A estimativa mais sóbria das agências internacionais é de que, em apenas 30 anos, a desertificação de áreas habitáveis e o alagamento de cidades litorâneas levem pelo menos 150 milhões de pessoas a abandonar suas casas e se tornem refugiadas para sobreviver à falta de água e alimentos.

Descontando as consequências das mudanças climáticas, os estatísticos estimam que o número de evangélicos no Brasil superará o de católicos já na próxima década, e não há previsões sobre o limite do crescimento dessa população. Mas considerando o impacto global provocado pelo deslocamento de milhares de pessoas em direção às cidades, a perspectiva é de que o pentecostalismo continue a se expandir e se torne ainda mais importante no futuro, e é por isso que devemos olhar para esse fenômeno com a devida atenção.

Agradecimentos

Agradeço, de modo especial, a Adriana Rodrigues, Cremilda Falcão, Davi Miguel de Souza, Claudio Moura, Benildo Dias e suas famílias por me acolherem em suas casas e terem paciência e generosidade para responder às minhas infinitas perguntas.

À antropóloga da religião Diana Lima, que me apresentou aos principais debates teóricos sobre evangélicos e foi também uma orientadora informal a quem recorri ao longo dos cinco anos investidos neste projeto. Sem sua ajuda este livro não existiria, ou seria algo muito diferente e de qualidade inferior. Sou grato também à antropóloga Rosana Pinheiro-Machado por ter me apresentado a Diana e por ser minha orientadora informal sobre o tema do Brasil popular; e ao meu orientador, o professor Daniel Miller, com quem conversei muitas vezes sobre este tema ao longo do doutorado.

A meu pai, Marcos Wilson, que foi um incentivador deste projeto desde o início. Além de ler e comentar versões anteriores do livro, ele teve a ideia do provocativo título Teologia da Libertação, que não aproveitamos, mas que é o mais coerente com o argumento central da obra.

Devo também a Brasilina Decoté, Caetano Veloso, Carlos Vicente, Cássia Janeiro, Dominique Santos, Elizete Ignácio, Flávio de Souza Brito, Gabriel Feltran, Isabel Azevedo, João Carlos Vieira-Magalhães, Késia Decoté, Lucas Savoi, Malu

Gatto, Maurício de Almeida Prado, Sarah Azevedo, Vaguinaldo Marinheiro e Wesley Correa por terem comentado trechos ou versões anteriores deste livro. Isabela Casellato editou, com a atenção de sempre, as referências bibliográficas. Agradeço ainda aos meus colegas da Behup e do Ideia: Artur Oliveira, Carol Dantas, Cledson Carrilho, Danilo Cersosimo, Federico Sader, Maurício Moura, Mike Trindade, Moriael Paiva e Talita Castro. Quantas empresas de pesquisa têm um núcleo de cientistas sociais! Pedro Carbone Filho e Olívia Dias enviaram comentários detalhados sobre o livro. Bruna Galvão supervisionou a realização de uma pesquisa sobre evangélicos e o clima, disponibilizada pela agência Purpose. O sociólogo da USP Renan William Santos atendeu um pedido de última hora para compartilhar as conclusões de sua pesquisa.

Finalmente, agradeço à Fernanda Emediato, editora da Geração Editorial, que foi uma interlocutora interessada e disponível durante a preparação deste livro.

Apesar de ter recebido muitas sugestões e comentários, muitos deles incorporados ao texto, sou o único responsável por eventuais erros e imprecisões deste livro.

Agradeço ainda a Thais Rocha, que manifesta para mim o mistério do Amor.

Notas

2020: a década dos evangélicos
1. O elefante na sala [pp. 21-22]

O aumento do número de evangélicos, o recuo do catolicismo e as datas previstas para evangélicos e católicos representarem grupos de tamanho semelhante está publicado em "Transição Religiosa — Católicos abaixo de 50% até 2022 e abaixo do percentual de evangélicos até 2032", artigo de José Eustáquio Diniz Alves em http://bit.ly/2Jf4sZv. Uma análise detalhada dessa mudança aparece em Birman e Leite (2000). Mafra (2013) discutiu como a interpretação desses números foi usada para negociar alianças políticas. Em termos mundiais, a expectativa é que o número de protestantes em 2050 seja de 1,5 bilhão de pessoas, se tornando um grupo com a mesma população dos católicos. (Hillerbrand 2004, 1815).

2. O preço do silêncio [pp. 23-25]

Um dos argumentos principais deste livro é o de que entrar para a igreja evangélica melhora as condições de vida dos brasileiros mais pobres. Esse tópico está desenvolvido ao longo de muitos dos capítulos, especialmente os da Parte 5. Menciono a conclusão do sociólogo inglês David Martin (2013), um dos principais especialistas no estudo do pentecostalismo global. Ele e outros cientistas sociais concordam que o pentecostalismo é um fenômeno moderno e modernizante, que tem a capacidade de promover a ascendência social dos pobres para a classe média enquanto se transforma em uma religiosidade da classe média.

Juliano Spyer

A questão da violência, incluindo aquela associada ao consumo de álcool e à vida doméstica, é um tema delicado de se estudar, conforme já registrou a antropóloga Claudia Fonseca. No seu livro clássico sobre camadas populares brasileiras, Fonseca (2000, 19) comenta: "Mulher, pesquisadora de classe média que sou, minha própria atitude em relação à violência foi um obstáculo considerável em meus esforços para superar o etnocentrismo". Ela acrescenta ainda que, diferente do que é tido como comum nas camadas média e alta, a violência faz parte do cotidiano popular; não apenas a violência relacionada ao crime, mas, como explica ainda a mesma autora, "a força física entrava como variável importante para definir os termos da relação". O capítulo sobre relações de gênero detalha esta afirmação, e menciono a existência de pesquisas que concluem, diferentemente da literatura que apresento, que a violência doméstica é velada no lar cristão. A tese da doutora em História, Valéria Vilhena (2011), é um exemplo. Conforme afirmo ao longo do livro, o termo "evangélico" é difícil de ser substituído, mas usá-lo dá margem a muitos problemas.

No caso das relações de gênero é difícil generalizar a postura de fiéis de igrejas diferentes. Um dado importante é que existem mais mulheres evangélicas do que homens e que é mais fácil a mulher trazer consigo o companheiro do que o contrário acontecer. Há, portanto, motivos que atraem mulheres para igrejas com essa religiosidade, mas algumas tradições têm posicionamentos diferentes em relação à hierarquia de homens e mulheres.

O dado sobre a condição socioeconômica dos pentecostais, indicando que um terço desse grupo tem renda *per capita* igual ou inferior a meio salário mínimo (o que corresponde a viver em condição de pobreza aguda), foi registrado por Marcos Alvito, professor do Departamento de Historia da UFF, no artigo "Nós Contra o Mundo", no Dossiê Evangélicos no Brasil, lançado na edição de dezembro de 2012 da *Revista de História do Museu Nacional*.

Em uma pesquisa divulgada em dezembro de 2016, o Datafolha registrou que um terço da população do país acima de 16 anos é evangélica https://goo.gl/iaioB8. Esse dado pode ser observado em perspectiva a partir da série de mapas produzidos pelo jornal *Nexo* para indicar a expansão dos evangélicos nas últimas décadas, movendo-se, principalmente, a partir das grandes cidades do litoral do país https://goo.gl/VzrfTf.

Jair Bolsonaro se identifica abertamente como cristão, mas fez nos últimos anos um esforço para se aproximar de lideranças evangélicas. Ele foi batizado no Rio Jordão, em Israel, pelo pastor da Assembleia de Deus, Everaldo Pereira, que também é presidente do Partido Social Cristão (PSC). Sua terceira esposa é evangélica, e o casamento deles foi realizado pelo pastor da Assembleia de Deus, Silas Malafaia, o que também sinaliza uma aproximação dele do mundo evangélico em um plano pessoal. Conforme notou o filósofo Pablo Ortellado, ao assumir o cargo de presidente, Bolsonaro fez um discurso oficial para a sociedade, comprometendo-se a seguir a Constituição e as normas democráticas, e fez outro em transmissão ao vivo via redes sociais, por meio de uma oração no estilo pentecostal, de mãos dadas e olhos fechados.

A relação entre a eleição de Bolsonaro e o voto evangélico parte do exame de dados quantitativos, feito por demógrafos. Para o doutor em demografia José Eustáquio Diniz Alves, "não há dúvida de que o voto evangélico foi fundamental para a eleição de Jair Bolsonaro. Mesmo sendo menos de um terço do eleitorado, as lideranças evangélicas são muito atuantes na política e estão colhendo o resultado de anos de ativismo religioso na sociedade". Ver: https://bit.ly/2WXkZca. Analisando dados estatísticos, o antropólogo Ronaldo de Almeida concluiu que "quem fez, de fato, a diferença a favor de Bolsonaro em números absolutos foram os evangélicos". Ver https://bit.ly/321GB6S. Em "Deus acima de todos", que faz parte da coletânea *Democracia em risco?*, lançada em 2019, Almeida analisa a utilização, por Bolsonaro, de temas que ecoavam positivamente dentro dos setores evangélicos. Já a antropóloga Jacqueline Moraes Teixeira, da USP, acompanhou grupos de mulheres evangélicas da Igreja Universal no WhatsApp. Em entrevista para o periódico *El País*, ela afirmou que muitas dessas evangélicas eram contrárias ao voto em Bolsonaro, mas passaram a ser pressionadas pela comunidade da Igreja a partir do momento em que o candidato do PT Fernando Haddad, chamou o bispo Edir Macedo de "charlatão fundamentalista" e de ter "fome de dinheiro". As mulheres que defendiam o voto contra Bolsonaro ficaram na defensiva, ouvindo de outras participantes do grupo que não votar em Bolsonaro seria negar a própria identidade religiosa por defender um candidato que perseguia a Universal.

Ainda existem poucos recursos audiovisuais que examinaram o fenômeno evangélico para além dos debates das pautas morais defendidas no Congresso pela bancada evangélica. A perspectiva com que intelectuais, formadores de opinião e jornalistas percebem esse tema tende a considerar os representantes mais conhecidos desse grupo. Isso aumenta a importância do documentário *Púlpito e Parlamento: Evangélicos na Política*, de 2015, feito pelo jornalista Felipe Neves. O documentarista registra como a política se torna presente em uma igreja importante como a Assembleia de Deus, que é a mais popular do país e que se movimenta para lançar um partido próprio. Um aspecto relevante desse trabalho é indicar a tensão que existe dentro da organização, entre os membros e os gestores da igreja, em relação a esse assunto, e também a importância das pautas de costumes em relação, por exemplo, a ações de combate à corrupção. https://youtu.be/xv4zV9ddPjQ.

Essa nova perspectiva vem sendo abraçada por novos intelectuais que se expõem para debater com a sociedade via jornalismo. Em 2017, acadêmicos pesquisaram os participantes da Marcha para Jesus e constataram, por exemplo, que esse grupo não confia nos políticos e defende respeito aos homossexuais nas escolas. Ver https://goo.gl/2VbhCF. Esse ângulo, que trata o evangélico como um manipulador mal-intencionado ou como um ingênuo manipulável, também foi percebido pelo cientista político americano Mark Lilla como motivo importante para a escolha de Donald Trump para a Casa Branca. Lilla argumentou isso primeiro no ensaio "The End of Identity Liberalism", publicado pelo *New York Times* em 2016, no calor do anúncio da vitória de Trump. Essa atitude de Lilla e dos acadêmicos brasileiros mencionados acima contrasta, por exemplo, com a fala do então candidato à presidência Fernando

Haddad, ao chamar Edir Macedo de "charlatão"; fala é "criminosa", diz a Universal https://isn.page.link/zPvR.

3. História e bastidores deste projeto [pp. 26-28]

Conforme explico neste capítulo, minha pesquisa (Spyer, 2018; Miller *et all*, 2017) para o doutorado foi sobre as causas e as consequências do uso das mídias sociais pelos brasileiros das camadas populares. Minha pesquisa de campo aconteceu ao longo de 18 meses em um bairro popular na área metropolitana de Salvador. O contato com evangélicos de várias tradições durante a pesquisa inspirou, mas não contribuiu substancialmente para a redação deste livro, que é uma espécie de "revisão bibliográfica" sobre o tema do cristianismo evangélico no Brasil. Não sendo estudioso de religião, fui apoiado informalmente pela doutora Diana Lima, para encontrar referências bibliográficas para os temas desta obra.

Semanalmente, durante a pesquisa, frequentei os cultos da Assembleia de Deus pelo menos uma vez por semana, às vezes duas, às quartas e aos domingos. Acompanhei de perto os cultos e também tive oportunidades para conversar sobre teologia protestante com o teólogo e pastor batista Claudio Moura. Frequentei, apenas ocasionalmente, os cultos das Testemunhas de Jeová, dos Adventistas do Sétimo Dia, da Igreja Batista Revivida, da Igreja Universal do Reino de Deus e da Igreja Mundial do Poder de Deus, além de ter mantido contato e participado também ocasionalmente das missas católicas e de diversas celebrações do candomblé em vários terreiros na região.

4. Aos leitores que não são evangélicos [pp. 28-30]

A antropologia da religião é uma subdisciplina importante cujas origens acompanham o desenvolvimento da própria disciplina antropológica. Para os interessados no tema, há em português a *Introdução à Antropologia da Religião*, de Jack David Eller, publicada pela editora Vozes. O livro trata do período em que o cristianismo evangélico começou a ser estudado mais amplamente nas ciências sociais, consulte o texto de Hefner (2013, vii).

Juliano Spyer

Antes de escrever este livro, publiquei algumas ideias iniciais no texto "A crise política e os evangélicos", *site* da *CartaCapital*, em 20 de maio de 2016 (https://www.cartacapital.com.br/?p=10154) e no vídeo "Consequências da fé evangélica", que disponibilizei no YouTube em 14 de julho de 2017 (https://goo.gl/W2VPTr). A comparação da Igreja e das religiões agindo como o ópio, que deixa a pessoa alienada e incapaz de pensar e reagir, está na *Introdução à Crítica da Filosofia do Direito de Hegel*, de Karl Marx, publicada 1844.

Os trechos com exemplos da visão, geralmente preconceituosa ou desinteressada em relação à temática da religião, são dos livros *10% mais Feliz*, do jornalista Dan Harris; e *Barba Ensopada de Sangue*, do escritor Daniel Galera.

5. Uma mensagem para os leitores evangélicos [pp. 31-34]

A tese de doutorado do sociólogo David Smilde, publicada com o título *Razões para crer* (2012), examina os argumentos de que a opção pelo cristianismo evangélico resulta de uma estratégia racional que a pessoa escolhe para atingir certos objetivos. Ele aponta que muitos cientistas sociais que defendem essa visão de fé como instrumento prático também se justificam dizendo que a experiência do cristianismo, visto a partir do convívio com evangélicos em suas igrejas, mostra que o fenômeno é mais complexo do que a racionalização acadêmica. Eu reproduzo a citação que Smilde (2012:23) faz de Annis (1987:141).

A passagem do sociólogo Andrew Jonhson (2017, 4) corresponde à posição que escolhi ter em relação à religiosidade. Presto atenção nos aspectos humanos e sociais relacionados a como os evangélicos vivenciam a religião, mas não tento explicar o que realmente acontece na experiência religiosa que cada pessoa tem.

Mesmo essa posição que não descarta aquilo que o religioso afirma vivenciar no campo do mistério não é suficiente para alguns evangélicos. Eles reclamam da maneira como sua religiosidade é frequentemente examinada em função das compensações materiais que ela produz. No sentido que eles apontam, a relação do cristão com Deus seria marcada pela troca: eles se comportam de uma determinada maneira e em compensação Deus retribui com aquilo que eles precisam.

Para mencionar esse ponto, uso o trecho de uma conversa com um amigo evangélico que leu o livro e ficou incomodado com esse aspecto, ou seja, com o entendimento das consequências materiais da fé e não das consequências que não são materiais: não tem a ver com ficar doente e ser curado, nem estar desempregado e receber ajuda dos outros fiéis da Igreja. Esse amigo advoga que essa perspectiva descreve a religiosidade como sendo algo para fracos e que esse juízo de valor vem do racionalismo da ciência, que não é capaz de ir além desse tipo de evidência para fundamentar suas análises. Curiosamente, a defesa que meu amigo faz termina repetindo a ideia pragmática de que a igreja é um lugar para se ajudar e ser ajudado, "a experimentar uma vida mais saudável, mais produtiva e solidária".

Entendo o que esse amigo quer dizer: que o importante da experiência cristã que ele vive e que o leva à igreja tem a ver com desenvolver a compaixão e aprender a perdoar, por exemplo, e que esses aspectos não estão presentes em livros como este que escrevi.

6. Síntese e principais *insights* dos capítulos [pp. 34-41]

Esta seção é uma espécie de índice produzido por extenso. O leitor é apresentado ao conteúdo de cada parte e de cada capítulo, de maneira a ter, antes de começar a leitura, um entendimento da estrutura do livro, ou seja, qual é a sequência de temas mais ou menos semelhantes que compõem os blocos de conteúdo alinhados de maneira linear. O propósito desta síntese é aumentar as chances de o leitor tirar proveito do conteúdo. Uma pessoa talvez queira apenas saber sobre o que é o livro, e ler essa seção deverá ser suficiente. Outra pode estar interessada em um tema particular, e lendo sobre os vários tópicos poderá encontrar esse tema em diferentes partes ou capítulos. O leitor interessado em seguir pelo caminho proposto na sequência de capítulos tem aqui uma espécie de mapa de viagem para entender o projeto maior, de onde estou partindo e onde pretendo levar o leitor.

Juliano Spyer

Um aspecto importante da escolha de como dispor o conteúdo deste livro é o de privilegiar o conteúdo e as reflexões, que geralmente não aparecem pela boca dos formadores de opinião, nos textos dos jornalistas e nos pronunciamentos dos intelectuais em geral. Essa é uma escolha estratégica que tem a ver com o propósito do livro de explicitar o preconceito que muitos leitores escolarizados têm ao se pronunciarem sobre o tema do cristianismo evangélico sem conhecer nada ou quase nada sobre ele. Mas o último capítulo é então dedicado a fazer uma crítica a evangélicos, quando for o caso, e também a igrejas.

Parte 1: Noções fundamentais — sobre o que estamos falando
7. Protestantismo [pp. 45-50]

Um resumo da história do protestantismo pode ser encontrado, por exemplo, no artigo "Sem intermediários" (Patuzzi, 2012), que faz parte do dossiê sobre cristianismo evangélico produzido e lançado pela *Revista de História do Museu Nacional*. O historiador e teólogo inglês Alec Ryrie (2017) é um dos pesquisadores mais prolíficos e respeitados hoje nos temas Reforma Protestante e protestantismo. Ele publicou, em 2017, um livro ambicioso e erudito, com a proposta de examinar o protestantismo no contexto em que surgiu, seus desdobramentos pós-Lutero e Calvino, em outros países europeus e depois na América do Norte, onde brotaram no século 19 desdobramentos mais recentes dessa tradição cristã, incluindo a Igreja Adventista, Testemunhas de Jeová e o pentecostalismo. Uma alternativa mais breve que a obra de Ryrie pode ser encontrada em Noll (2011).

Para o leitor ter uma ideia da diversidade do protestantismo, incluí o infográfico a "árvore do protestantismo" (Barros e Roberto, 2012).

O cristianismo geralmente é percebido como uma religião europeia, mas Kaene (2007) explica que essa é uma religião que vai se tornando nativa nos lugares em que é adotada. Hoje, portanto, ela pode ser natural da Índia contemporânea da mesma maneira como um dia migrou da Palestina e se tornou nativa da Europa. Essa "nativização" contínua do cristianismo, que vai se transformando à medida que se espalha pelo mundo, pode ser observada em *Christianity: The first three thousand years*, do acadêmico inglês Diamard MacCulloch. Assis (2012) produziu um artigo resumido sobre a chegada do protestantismo no Brasil.

8. Protestante ou evangélico? Qual a diferença? [pp. 50-54]

O estudo *The global religious landscape* (Hackett, Grim, Stonawski, Skirbekk, Potančoková e Abel, 2012) usa a diferenciação "protestantes históricos" e "protestantes evangélicos". Os autores registram a diferença entre esses dois grupos a partir de dados demográficos. Entre evangélicos, 88% dizem que acreditam com certeza na existência de Deus, contra 66% dos protestantes principais; e 58% vai pelo menos uma vez por semana à igreja, ante 33% dos principais. Outro estudo recente do mesmo *think tank* (Masci, David e Smith 2018) indica como a diferença entre históricos e evangélicos também aparece pela expansão do cristianismo evangélico entre latinos e negros nos Estados Unidos, o que não acontece entre protestantes históricos.

Outras características diferenciadoras de cristãos evangélicos e protestantes históricos foram apresentadas de um especial produzido pela PBS, a rede de TV educativa dos Estados Unidos. Esse material pode ser encontrado aqui: *Evangelical — what it means*, PBS. https://goo.gl/NuxB9M.

A ampliação do conservadorismo, notado por exemplo em relação ao crescimento do número de evangélicos comparada à estagnação ou declínio do interesse por igrejas cristãs tradicionais, católicas ou protestantes, não é um fenômeno exclusivo do mundo cristão. A antropóloga Elizete Ignácio lembrou, em um comentário feito com base na leitura de uma versão anterior deste livro, que esse fenômeno associado à religiosidade aparece também em relação ao crescimento de alas conservadoras de outras religiões de matriz judaico-cristã, como o radicalismo de setores islâmicos ou mesmo um retorno ao judaísmo religioso ante o enfraquecimento do judaísmo secular.

Um exemplo do tamanho e também da infraestrutura de um megatemplo pode ser visto, em Belo Horizonte, na sede da Igreja Batista da Lagoinha, conhecida dentro e fora dos círculos evangélicos por ter lançado astros gospel como Ana Paula Valadão. Essa igreja tem quase 90 mil membros, e seu templo principal comporta 5 mil pessoas sentadas. Nessa construção, que lembra mais uma casa de *shows* do que uma igreja protestante convencional, as portas de boate, as paredes pintadas de preto, a infraestrutura robusta de equipamentos de luz, som e fumaça cênica intensificam a experiência dos frequentadores.

Conforme o historiador Ryrie (2017) argumenta, protestantes históricos não reconhecem adventistas e testemunhas de Jeová como parte de sua tradição, e a mesma rejeição acontece do outro lado, com adventistas e testemunhas de Jeová percebendo-se como grupos distintos e sem conexões com a teologia e as práticas do protestantismo histórico. De fato, há diferenças entre esses grupos, mas Ryrie argumenta que, apesar da animosidade e da desconfiança dos dois lados, todos fazem parte da mesma "família estendida".

9. Protestantes históricos: intelectualizados e discretos [pp. 55-56]

Protestantes históricos são aqueles normalmente conhecidos no Brasil como "protestantes". O artigo intitulado "Protestantismo Brasileiro", mas que não faz referência ao protestantismo que se desdobra via pentecostalismo, no mundo e precocemente no Brasil, é de Mendonça (2007). Seu problema não é falar sobre o protestantismo histórico, mas sugerir no título e depois no corpo do texto, ao não mencionar outras igrejas além das históricas, que protestantismo e protestantismo histórico sejam a mesma coisa no Brasil.

Eles aparecem neste livro porque em algumas partes do país os fiéis das igrejas dessa "linhagem" cristã também se identificam e são identificados como evangélicos, e pelo vínculo histórico dessas igrejas com pentecostais e neopentecostais, conforme os capítulos seguintes apresentam. Interessados neste tema encontrarão material farto na maioria dos livros de História geral uma que a Reforma Protestante é um dos marcadores da transição do mundo medieval para o moderno. Conforme indiquei anteriormente, as obras de Ryrie (2017) e MacCulloch (2004) são boas introduções a esse assunto.

POVO DE DEUS

10. Pentecostais: dignidade moral e fé [pp. 56-59]

O dia de Pentecostes é descrito na Bíblia em Atos dos Apóstolos no capítulo 2 até o versículo 21. Incluo o trecho a seguir para quem não leu partes menos populares da Bíblia experienciar este tipo de narrativa:

> E, cumprindo-se o dia de Pentecostes, estavam todos concordemente no mesmo lugar; E de repente veio do céu um som, como de um vento veemente e impetuoso, e encheu toda a casa em que estavam assentados. E foram vistas por eles línguas repartidas, como que de fogo, as quais pousaram sobre cada um deles. E todos foram cheios do Espírito Santo, e começaram a falar noutras línguas, conforme o Espírito Santo lhes concedia que falassem. E em Jerusalém estavam habitando judeus, homens religiosos, de todas as nações que estão debaixo do céu. E, quando aquele som ocorreu, ajuntou-se uma multidão, e estava confusa, porque cada um os ouvia falar na sua própria língua. E todos pasmavam e se maravilhavam, dizendo uns aos outros: Pois quê! não são galileus todos esses homens que estão falando? Como, pois, os ouvimos, cada um, na nossa própria língua em que somos nascidos? Partos e medos, elamitas e os que habitam na Mesopotâmia, Judeia, Capadócia, Ponto e Ásia, E Frígia e Panfília, Egito e partes da Líbia, junto a Cirene, e forasteiros romanos, tanto judeus como prosélitos, cretenses e árabes, todos nós temos ouvido em nossas próprias línguas falar das grandezas de Deus. E todos se maravilhavam e estavam suspensos, dizendo uns para os outros: Que quer isto dizer? E outros, zombando, diziam: Estão cheios de mosto [vinho]. Pedro, porém, pondo-se em pé com os onze, levantou a sua voz, e disse-lhes: Homens judeus, e todos os que habitais em Jerusalém, seja-vos isto notório, e escutai as minhas palavras. (Atos 2:1-14, Bíblia Online)

Os versículos iniciais se referem a um momento em que pessoas que celebravam tiveram a capacidade de se comunicar com falantes de outras línguas; uma prática — "falar em línguas" — presente e comum no culto pentecostal. Nesse trecho está registrada a desconfiança de outros que acompanharam o evento e descreveram o suposto milagre como sendo decorrente de embriaguez dos participantes.

O texto prossegue:

> Estes homens não estão embriagados, como vós pensais, sendo a terceira hora do dia. Mas isto é o que foi dito pelo profeta Joel: E nos últimos dias acontecerá, diz Deus, Que do meu Espírito derramarei sobre toda a carne; E os vossos filhos e as vossas filhas profetizarão, Os vossos jovens terão visões, E os vossos velhos sonharão sonhos; E também do meu Espírito derramarei sobre os meus servos e as minhas servas naqueles dias, e profetizarão; E farei aparecer prodígios em cima, no céu; E sinais embaixo na terra, Sangue, fogo e vapor de fumo. O sol se converterá em trevas, E a lua em sangue, Antes de chegar o grande e glorioso dia do Senhor; E acontecerá que todo aquele que invocar o nome do Senhor será salvo. (Atos 2:15-21, Bíblia Online)

Se algum leitor tiver visitado cultos pentecostais, pode ter observado o paralelo entre o entendimento da religião apresentado em Atos 2 e como ela é praticada. Por exemplo, o aspecto intenso e sensual (no sentido de experiência física e não mental, do choro, do sentimento) de como pentecostais se expressam; a capacidade de profetizar, também recorrente, traduzida por uma ligação recorrente entre Deus e o mundo terreno por meio de mensagens enviadas em sonhos ou de inspirações que a pessoa tem. Finalmente, a característica presente que pode ser descrita como um otimismo pelo futuro que é dado a quem se entrega à prática religiosa e ao aprendizado oferecido pela Bíblia.

Complementarmente, no capítulo 11 faço referência a uma pesquisa do antropólogo Ricardo Mariano (2012, 10) sobre o pentecostalismo, publicada no livro *Neopentecostais: sociologia do novo pentecostalismo no Brasil*. As citações e os dados estatísticos de números relacionados ao pentecostalismo estão no artigo "Nós Contra o Mundo" (Marcos Alvito 2012). A descrição do pentecostalismo feita por Oliveira (2015) está nas páginas 24 e 25. O artigo citado de Martin (2013) rejeita a ideia de que o surgimento do pentecostalismo na América Latina seja o resultado de um esforço missionário dos Estados Unidos, ressaltando como fatores locais associados às características do pentecostalismo estimularam a expansão das igrejas dessa linhagem por aqui.

Em relação à oferta de serviços "mágico-religiosos" por pentecostais, como curas e "livramentos", menciono o estudo de Glazier (1980), sobre ritos pentecostais de exorcismo em Trinidad y Tobago; e de Mariano (2008), sobre fatores do crescimento do pentecostalismo no Brasil. Também Mariano (1999) fala sobre o preço do conforto espiritual protestante em termos de disciplina moral para sobreviver em ambientes conturbados de vulnerabilidade social.

Pastores de igrejas protestantes históricas geralmente têm curso superior em Teologia. No ambiente pentecostal as regras podem ser mais flexíveis. A antropóloga Elizete Ignácio esclarece que essa questão também depende da igreja pentecostal. A Assembleia dos pais dela, por exemplo, só aceita como pastor quem tem curso em Teologia, que é equivalente a um curso superior. A diferença é que não precisa ter outro curso superior além do curso de Teologia. Uma confusão comum é que presbíteros podem assumir funções de pastores (como visitas a doentes em hospitais e dirigir pequenas "filiais" de igrejas maiores). E em alguns casos eles passam a ser chamados de pastores pelos membros da "filial" (chamada de "congregação") que é responsável. Em outros casos sua fama como pregador pode crescer e, com isto, ele se "desliga" da igreja matriz e "funda" sua própria igreja, passando a se autodenominar "pastor". Entre as igrejas protestantes tradicionais é muito malvisto, tanto que em muitas neopentecostais os cargos mais altos são de "bispos" ou de presbíteros; porém, em algumas históricas o cargo mais alto também pode ser de bispo ou de presbítero, e não de pastor.

O movimento carismático na Igreja Católica surgiu no fim dos anos 1960 nos Estados Unidos e tem sido responsável por um processo

Juliano Spyer

de revitalização do catolicismo. No Brasil, ele é personificado principalmente por padres que se tornaram *pop-stars* como Marcelo Rossi. Notam-se semelhanças desse ramo católico com o pentecostalismo, por exemplo, na utilização da oralidade, da música e da oferta de uma experiência religiosa menos intelectual e mais sensorial. Os dados sobre o movimento carismático vêm da publicação editada por Burgess e Van Der Maas (2002), especialmente nas páginas 286-87.

O trecho da historiadora Olívia foi enviado ao autor como comentário sobre livro por e-mail.

11. Avivamento protestante e católicos carismáticos [pp. 60-62]

Este capítulo resultou de conversas independentes com o pastor batista Claudio Moura e com a antropóloga da religião Diana Lima. Os dados estatísticos mencionados estão em Burgess e Van Der Maas (2002).

12. Neopentecostalismo: disciplina leva ao sucesso [pp. 62-65]

A percepção protestante sobre esse tema é a de que Deus recompensa financeiramente os fiéis por sua dedicação e fé, mas conforme Mariano (1999) explica, há diferenças importantes entre como o protestante histórico entendia e entende essa bênção que chega via sucesso financeiro e como o neopentecostal percebe a mesma situação. Uma senhora batista me explicou que desaprovava a mentalidade de que a entrada na igreja seja motivada por recompensas materiais. Para ela era legítimo que isso acontecesse como consequência indireta da disciplina e do exemplo que o crente adquire frequentando a igreja. A contribuição de Mariano, mencionada acima, ajuda a contrastar as conclusões de Weber sobre a relação entre capitalismo e protestantismo e a experiência que vemos hoje a partir de organizações como a Igreja Universal.

Outro tema relevante em relação aos pentecostais é que eles se deixam manipular em nome da fantasia de que ficarão ricos por meio da conversão. Sugere-se que os fiéis da Universal, por exemplo, não pensam nem percebem criticamente a instituição. Esse tema foi examinado pela pesquisa etnográfica e pela análise de Lima (2012), que oferece uma visão mais nuançada e baseada em evidências na relação entre fiéis e líderes nas igrejas neopentecostais.

Parte 2: Cristianismo e preconceito de classe
13. A presença evangélica no Brasil em números [pp. 69-78]

O dado sobre a dimensão do crescimento do movimento evangélico brasileiro vem do historiador e antropólogo Paul Freston. O crescimento do número de igrejas evangélicas no Brasil, o comentário do professor Ronaldo de Almeida sobre a expansão da participação de evangélicos em diversos setores da sociedade e o comentário do teólogo Rodrigo Franklin de Sousa foram publicados na revista da *Fapesp* (Queiroz 2019).

Na introdução de seu *Metrópole, cultura e conflito*, Velho (2007, 9-30) afirma que a principal transformação social do Brasil contemporâneo acontece pela migração massiva de nordestinos originalmente das áreas rurais para as cidades, especialmente do Sul-Sudeste, a partir do fim da Segunda Guerra Mundial. Nesse contexto, o artigo de Alves, Cavenaghi, Barros e Carvalho (2017) registra a expansão evangélica pelo Sudesde nas últimas décadas do século. Mariani e Ducroquet (2017) geraram o infográfico sobre esse tema publicado pelo *Nexo Jornal*. Jenkins (2002) informa sobre o percentual de católicos latino-americanos que se converteram ao protestantismo no fim do século 20.

A matéria sobre o Sínodo da Amazônia e a expansão do cristianismo evangélico na Região Norte do país é de Balloussier (2019). A citação da antropóloga Véronique Boyer aparece na mesma reportagem. Com 30 anos de trabalho de campo na região amazônica, ela tem uma lista extensa de publicações em português — ver Boyer (2013) — e em francês, com destaque para o livro, disponível apenas em francês, com o título (traduzido para o português) *Expansão Evangélica e Migrações na Amazônia Brasileira*. As aspas do pastor Samuel Câmara também aparecem no mesmo texto.

A referência do antropólogo Martijn Oosterbaan sobre o distanciamento do catolicismo do mundo popular no Brasil está no livro *Transmitting the Spirit: Religious Conversion, Media and Urban Violence in Brazil*.

Juliano Spyer

Os números surpreendentes do crescimento do protestantismo evangélico, mencionados no início deste livro, vêm de Alves, Cavenaghi, Barros e Carvalho (2017) e também de Alves (2018). Uma análise detalhada dessa mudança aparece em Birman e Leite (2000). Mafra (2013) discutiu como a interpretação desses números foi usada para negociar alianças políticas. Em termos mundiais, a expectativa é que o número de protestantes em 2050 seja de 1,5 bilhão de pessoas, tornando-se um grupo com a mesma população dos católicos (Hillerbrand, 2004, 1815). Os dados sobre o crescimento do cristianismo evangélico no contexto internacional estão em Sahgal (2017). Os dados do IBGE sobre religião, indicando o número de participantes das principais igrejas, foram divulgados e comentados por Azevedo (2017). O infográfico listando as principais igrejas em relação ao número de fiéis foi produzido por Barros (2012).

Uma diferença essencial do protestantismo em relação ao catolicismo é a liberdade que o protestante tem de não concordar com a interpretação bíblica e as práticas religiosas das outras igrejas e por isso poder fundar a própria. Apesar de ser formada por agrupamentos com identidades particulares — jesuítas, carmelitas, franciscanos, beneditinos etc. —, o Vaticano é o centro de decisões do catolicismo.

Menciono na parte final do capítulo alguns dados etnográficos que colhi durante minha pesquisa de campo para o doutorado. Como é padrão nas pesquisas antropológicas, nomes e outras informações sobre as pessoas pesquisadas são mudados. Isso acontece porque muitos dos dados, pontos de vista e histórias que o antropólogo escuta chegam em situações de conversas informais. Para revelar esses dados sem prejudicar ou expor a privacidade das pessoas que contribuíram com minha pesquisa, mantenho em sigilo o nome do bairro onde morei na periferia de Salvador.

Na metodologia de pesquisa etnográfica que caracteriza o trabalho antropológico, o pesquisador, em muitos casos, passa muito tempo na mesma localidade para desenvolver vínculos de confiança com os moradores, e a partir desses vínculos poder fazer perguntas sobre temas delicados e ouvir respostas mais parecidas com o que esses moradores conversam entre si. Diferente das metodologias chamadas de quantitativas, a pesquisa qualitativa pressupõe que, antes de perguntar, é preciso primeiro aprender com o tempo os valores e pontos de vista da sociedade estudada. Apesar do estudo com essas características acontecer em espaços relativamente pequenos — passei 18 meses convivendo com os moradores do mesmo bairro —, algumas das conclusões podem ser estendidas para populações de outras localidades que compartilham histórias familiares e referências culturais semelhantes às da população estudada.

Os exemplos que apresento neste e em outros capítulos dialogam com a literatura sobre camadas populares no Brasil, porque nesse estrato social muitos moradores das periferias das cidades do Sul e do Sudeste pertencem a famílias que migraram do Nordeste rural desde a segunda metade do século 20. Minha pesquisa aconteceu no próprio Nordeste, mas na periferia de Salvador, e a população dessa localidade, originalmente uma vila de pescadores, era formada por migrantes de outras localidades, geralmente do interior do próprio Nordeste. Ver o primeiro capítulo de Spyer (2018).

Uma das principais igrejas evangélicas, em termos numéricos, do bairro em que vivi como pesquisador foi originalmente a Batista, ligada à Convenção Batista Brasileira (CBB), mas a presença crescente de igrejas pentecostais e neopentecostais motivou uma parte dos fiéis a buscar um caminho independente, e a igreja manteve o nome de Igreja Batista, mas incorporou práticas e valores novos, incluindo uma conduta empresarial em relação à incorporação de novos quadros para a Igreja. Na evangelização "em célula", cada fiel que se converte tem como meta trazer outras doze pessoas para a igreja, e a performance dos participantes é avaliada por sua capacidade de realizar essa tarefa e motivar o grupo que ele ou ela forma para fazer o mesmo.

14. Cristianismo evangélico e as periferias do Brasil [pp. 78-81]

Os temas citados no início deste capítulo foram estudados pelos seguintes pesquisadores: a análise do declínio do catolicismo em relação

Juliano Spyer

ao luteranismo e à umbanda no Brasil contemporâneo (Pierucci 2004), o crescimento do movimento pentecostal (Mariano 2004), o contraste das perspectivas sobre se o pentecostalismo promove ou limita a mudança sociopolítica (Mariz 1995), a crescente influência do pentecostalismo na política estatal em Oro (2003), Machado (2015), Machado e Burity (2014) e Pierucci (2011), as consequências do pentecostalismo para a questão de gênero em Machado (2005, 2013) e Machado e Barros (2009) e a relação entre pentecostalismo e divindade (Birman 2012), entre muitos outros.

O sociólogo inglês David Martin (2013, 37-62), um dos principais especialistas no estudo do pentecostalismo global, assim como outros cientistas sociais, concorda que o pentecostalismo é um fenômeno moderno e modernizante, que tem a capacidade de promover a ascendência social dos pobres para a classe média enquanto se transforma em uma religiosidade da classe média. Essa procura do pobre brasileiro por ter melhores condições por meio do protestantismo não é recente. Conforme explica o trabalho de Mafra (2001), desde a chegada das primeiras igrejas protestantes, em meados do século 19, a opção por trocar a missa católica pelo culto protestante está relacionada à busca por tratamento menos desigual na sociedade.

Os dados demográficos que apontam que pentecostais emergem principalmente de setores da baixa renda e outras características desse segmento evangélico estão em estudos de Mariz (1992) e Mariano (2004). Outros estudos examinam e apresentam evidências sobre a relação entre pentecostalismo e camadas populares. Eu me refiro especificamente à indicação de que o crescimento do cristianismo evangélico está relacionado ao processo de migração do Nordeste rural para as capitais do Sul e Sudeste, em áreas periféricas onde igrejas católicas não se estabeleceram (Mafra 2001). Em relação a esse contexto, Pierucci (2006) examina a importância das igrejas evangélicas ao oferecer redes de apoio aos migrantes recém-chegados aos bairros periféricos.

A observação sobre a disposição dos lugares de culto, apresentada na parte final do capítulo, está originalmente no capítulo 2 do meu estudo sobre camadas populares e uso de mídias sociais (Spyer 2018).

15. Limites de classe: estar vulnerável *versus* ser vulnerável [pp. 81-84]

A parte introdutória deste capítulo descreve uma experiência que vivi, de contato com a polícia, durante uma visita de carro a um bairro central de Salvador em 2014. Ter uma arma apontada em sua direção era uma experiência relativamente comum para os adolescentes da localidade onde fiquei na Bahia. Os policiais que faziam a vigilância da localidade regularmente batiam nos jovens que se vestiam segundo a moda do *hip hop* internacional, por verem nesse ato uma provocação, uma declaração de simpatia pela vida no crime. Ver o capítulo 6 em Spyer (2018).

A noção de "fronteira da cidadania" foi aplicada por Barcellos (2003).

16. Preconceito de classe [pp. 85-88]

Mafra (2001) registra esse fenômeno, no século 19, de brasileiros livres, mas sem posses, optarem pelas igrejas protestantes por entenderem que esses eram espaços onde não havia a distinção socioeconômica vivenciada nas missas católicas.

O termo "capital educacional" — juntamente com as noções de capital social, capital simbólico e capital cultural — foi desenvolvido pelo sociólogo e pensador francês Pierre Bourdieu ao teorizar sobre as formas como a desigualdade entre ricos e pobres se preserva na sociedade. Capital educacional, no caso, é aquilo que as crianças e adolescentes brasileiros adquirem ao terem acesso a escolas privadas e, graças a esse investimento, se tornam os principais beneficiários da educação superior pública.

A teorização sobre a característica peculiar do racismo brasileiro está formulada em Fernandes (2015).

O restante deste capítulo apresenta principalmente conclusões de Fonseca (2000) sobre preconceito de classe no Brasil. O trecho citado está na página 214.

17. Um pobre que não aceita seu lugar [pp. 88-90]

A análise da relação problemática entre antropólogos e cristãos evangélicos está em Harding (1991). Mariz (1995) aponta a necessidade

Juliano Spyer

de "criticar a crítica" feita por cientistas sociais acerca dos movimentos religiosos, apontando para os pentecostais sendo criticados seja devido à sua alienação política ou porque participam da política, seja porque são muito dogmáticos, e por colocar muita importância na salvação, ou por serem muito flexíveis e materialistas.

Parte 3: Evangélicos na mídia e mídia evangélica
18. Sobre ataques a terreiros de umbanda e candomblé [pp. 93-98]

O ataque de "traficantes evangélicos" ao terreiro da mãe de santo de Nova Iguaçu, no Rio de Janeiro, foi um dos destaques da semana da imprensa nacional, sendo noticiado, entre outros pela revista *Veja* (Bustamante 2017) e pela *Folha de S.Paulo* (Balloussier 2017). A notícia sobre as doações da Igreja Luterana para reconstruir o terreiro apareceu, entre outros, em Athayde (2018), representando o *site* de notícias BBC Brasil.

Registrei ocasiões em que estudantes evangélicos tiravam proveito das ferramentas de comunicação digital privadas, como WhatsApp e grupos fechados, para desenvolver relações com estudantes ligados a religiões de matriz afro, especificamente com a intenção de mostrar-se, no ambiente da universidade, diferentes do perfil estereotipado do "crente preconceituoso e de cabeça fechada". Ver o capítulo 2 de Spyer (2018).

Os relatórios mencionados no capítulo que não reproduzem a narrativa-padrão sobre evangélicos são de Fernandes (2011), publicados pela ONG RioWatch, e Willadino (2018), publicados pelo Observatório de Favelas.

Um caso exemplar da visão simplista sobre o fenômeno do traficante que se converte ao cristianismo evangélico aparece no vídeo intitulado *Traficante Gospel* (Porta dos Fundos, 2018). O argumento de que o cristianismo deve ser associado ao pacifismo e à não violência, representado no Novo Testamento, ignora o envolvimento do catolicismo com ações violentas como as Cruzadas, que foram ações militares contra os chamados infiéis durante a Idade Média. O cristianismo também foi o motivador de guerras e massacres na Era Moderna, na Europa e também nas Américas, como consequência da Reforma Protestante. No mesmo período a Inquisição perseguiu, torturou e matou sistematicamente pessoas que não eram católicas. Comunidades judaicas foram perseguidas por católicos na Europa e na Ásia ao longo dos séculos, culminando com o holocausto nazista que dizimou milhares de judeus, sendo que os alemães durante esse período eram predominantemente protestantes e católicos.

19. A história do traficante evangélico [pp. 98-104]
O artigo "Gangland" (Anderson 2017) foi originalmente publicado na edição impressa da revista *The New Yorker* em 5 de outubro de 2009.

20. A cobertura dos 500 anos da Reforma Protestante [pp. 104-106]
As matérias divulgadas nos veículos de jornalismo mais populares desconsideram o fenômeno do cristianismo evangélico no país, apesar de o pentecostalismo ser um desdobramento do movimento protestante e de existirem, segundo o Censo de 2010, mais de 42 milhões de evangélicos no Brasil.

21. Mídia tradicional *versus* mídia evangélica [pp. 106-107]
O exame da disputa entre a Rede Globo e a Igreja Universal aparece em Birman e Lehmann (1999).

O ensaio de Alexandre (2014), segundo me informou o editor do *site* da revista *CartaCapital*, é um dos dez mais lidos de todos os tempos desta publicação. A reportagem "Marcha para Jesus não confia nos políticos e defende respeito aos homossexuais nas escolas", publicada pelo *El País* Brasil, é assinada por Rossi (2017).

Parte 4: Consequências positivas do cristianismo evangélico
22. Cristianismo, resiliência e disciplina [pp. 111-113]
A análise feita por Mafra, Swatowiski e Sampaio (2012), referente ao sucesso do neopentecostalismo em promover níveis altos de controle social, foi usada como referência. Nesse sentido, não surpreende que igrejas evangélicas invistam em soluções de inteligência artificial como

Juliano Spyer

a fornecida pela empresa Kuzzma, para monitorar e documentar quem entra e sai das igrejas. A solução mencionada aqui usa uma câmera panorâmica de alta resolução para fazer o reconhecimento facial dos fiéis. O serviço pode até mesmo especular sobre o motivo de atrasos. Ver Rudnitzki (2019).

O termo "cultura da pobreza", cunhado pelo antropólogo americano Oscar Lewis (1959) a partir de pesquisas feitas no México e em Porto Rico, sugere a existência de um fator perpetuador da pobreza, desprezando a influência de contextos socioeconômicos que levavam à perpetuação dessa condição. Esse termo é contestado, porque atribui ao pobre a manutenção de sua condição de pobre.

O livro de Smilde (2012) é uma das análises mais originais e ao mesmo tempo rigorosas sobre o pentecostalismo na América Latina. Ele menciona nas páginas 20 e 21 a lista de pesquisadores que associaram a adoção do cristianismo evangélico ao abandono do consumo de álcool.

Um dos argumentos recorrentes para justificar a expansão do cristianismo evangélico no Brasil é o de que a influência da Igreja ajuda o fiel a suportar as muitas frustrações vividas pelos brasileiros das camadas populares. A adaptação para o trabalho formal pode parecer simples para trabalhadores, como explica Fonseca (2000, 47): "'Disciplinados', de emprego fixo, com trajetória ascendente e valores que se aproximam dos das classes dirigentes". Meus informantes geralmente não tinham crescido com o que Fonseca chama de "práticas normalizadoras" como ir para a escola, ter e usar conta bancária etc. Para eles, entrar para o mundo do trabalho formal trazia vantagens, como ter a proteção do Estado, direito a férias etc. Mas havia também um constante estado de frustração por causa, de um lado, de abusos comuns de autoridade dos chefes, mas também por não se estar acostumado ao controle imposto pelos horários rígidos e por trabalhar afastado das redes familiares.

23. Estado de bem-estar informal [pp. 113-117]

A crítica ao individualismo do evangélico pode ser examinada por um outro ângulo: a partir das tradições do pequeno trabalhador rural da América Latina e seu entendimento sobre riqueza e diferenciação social. Segundo estudos publicados por Foster e Rubel, atacar a reputação de indivíduos ou famílias é um ato frequente em grupos sociais que percebem a riqueza comum como sendo limitada. Segundo esse modelo explicativo, o evangélico apresenta características individualistas que prejudicariam a comunidade ao querer tirar da riqueza comum uma porção maior para si. A ambição empreendedora do evangélico, segundo essa visão, desencadeia ataques com o objetivo de isolar quem não aceita a norma igualitária do grupo. Daí, portanto, a acusação de que os evangélicos não são verdadeiramente caridosos, por eles pensarem em si primeiro e não na coletividade.

Foster (1965 e 1967) e Rubel (1977) teorizaram, baseados em pesquisas em áreas rurais no México, sobre os ataques contra indivíduos ou famílias de uma comunidade que se destacam, por exemplo, investindo em sua produção para ter melhores colheitas. O entendimento coletivo, segundo esses pesquisadores, é de que essas comunidades impõem entre os agricultores de propriedades pequenas uma condição de igualitarismo que se baseia na ideia de que a riqueza coletiva é limitada e que, portanto, as pessoas que produzem mais o fazem prejudicando aquelas que produzem menos.

Smilde (2012: 22) relaciona pesquisadores que estudaram, no contexto latino-americano, o funcionamento da igreja evangélica como ambiente que oferece redes de apoio a migrantes vindos do meio rural para as cidades.

O antropólogo Maurício de Almeida Prado concluiu mestrado no mesmo departamento de antropologia da UCL, onde estudei, também optando pelo programa de Antropologia Digital. De volta ao Brasil, Prado se tornou sócio da empresa de pesquisa Plano CDE, especializada em estudos qualitativos e quantitativos sobre camadas populares. No fim dos anos 2000, "nova classe média" se tornou a expressão da vez entre veículos de comunicação e no mundo empresarial, representando esse potencial pouco atendido dos pobres que ascenderam economicamente. Mas com a subsequente crise política e econômica, a "nova classe média" se tornou desinteressante, também por causa da perda de poder de ganho de muitos desses brasileiros a partir de meados da década de 2010. A Plano CDE, nesse contexto, manteve o interesse nesse segmento de público e se tornou uma referência e parceira de negócios de instituições nacionais e internacionais, privadas ou públicas, que estudam com seriedade as classes populares. É a partir dessa experiência, ao mesmo tempo teórica e prática, que o Prado falou sobre a função das igrejas evangélicas nos bairros em que elas se instalam.

A família como espelho: um estudo sobre a moral dos pobres na periferia de São Paulo (Sarti 1994) é a tese de doutorado dessa antropóloga, feita a partir de pesquisa de campo na periferia de São Paulo. Considerado um trabalho de referência sobre o tema das camadas populares, sua tese foi publicada como livro. Um dos *insights* da pesquisa é o registro de como famílias que moram nas periferias formam vínculos entre vizinhos que se parecem com os vínculos com família estendida (tios, primos, avós etc.), comum nas áreas rurais do Nordeste. Mas esses laços entre vizinhos podem não ser fáceis de ser acessados pelos recém-chegados que não têm vínculos com as famílias já estabelecidas no bairro. É nesse sentido que a Igreja ganha um atrativo extra ao dar a recém-chegados o acesso a redes de ajuda mútua já estabelecidas entre fiéis de cada igreja (Pierucci 2006). A opinião que reproduzo do pesquisador holandês Oosterbaan aparece em Queiroz (2019).

Retornando da Bahia para a Inglaterra, descobri que alguns dos amigos que formaram conosco uma turma de brasileiros estudantes de Ciências Humanas vinham de famílias evangélicas. Apenas um casal manteve o vínculo com sua religião; os outros estavam afastados e em geral tinham perspectivas ricas de quem conhece o fenômeno de dentro e de fora, e consegue falar detalhadamente sobre esse assunto por sua experiência no ensino superior. A musicista Késia Decoté, de família batista, me explicou em uma conversa informal como é comum encontrar pianistas clássicos que começaram a estudar na Igreja Batista, e músicos que tocam instrumentos de sopro virem da Assembleia de Deus. Esse assunto se tornou tema de uma reportagem publicada no portal G1 (Machado 2012).

24. Incentivos para estudar [pp. 118-121]

A passagem no livro de Mafra (2001) sobre as escolas protestantes está nas páginas 219-225 (localização Kindle). O tema da educação é chave para protestantes, porque uma das condições para estabelecer o relacionamento direto com Deus, proposto por Lutero, é saber ler. Conforme Mafra explica no mesmo livro, as igrejas protestantes, ao receberem pessoas com pouca ou nenhuma alfabetização, adaptaram as aulas dominicais que tinham por objetivo proporcionar aos alunos o estudo da Bíblia, para que esses encontros fossem também oportunidades para a alfabetização dos membros da congregação com baixa escolaridade. Esse é um tipo de serviço relativamente comum oferecido por igrejas evangélicas, o que, no entanto, não quer dizer que igrejas evangélicas em geral estimulem que seus membros sigam carreiras universitárias. Há tradições que têm essa visão, mas outras limitam-se a alfabetizar e assim dar condições para seus fiéis lerem a Bíblia.

O capítulo 5 de meu livro (Spyer 2018) trata de educação e especificamente do funcionamento das escolas públicas no bairro, na medida em que o uso da internet e das mídias sociais depende da alfabetização, para que o usuário interaja nas redes sociais. Geralmente, falamos sobre baixos salários de professores e infraestrutura ruim de ensino como justificativas para o desinteresse do estudante pobre em usar a escola para chegar à universidade e ter uma carreira profissional. Na localidade em que morei, o problema era mais complexo; a infraestrutura havia se transformado para melhor e em um período de apenas 20 anos a escola que oferecia aulas até a quarta série para cerca de 100 crianças foi fechada e substituída por escolas com bibliotecas e áreas esportivas, com professores com títulos universitários. Nesse contexto, a leitura da pesquisa de Kuznesof (1998) sobre o interesse das camadas populares pela escola foi essencial para localizar limitações para que o estudante pobre se interesse por estudar.

Fonseca (2008 144-5; 2000) explica como a transição socioeconômica das camadas populares para as médias não depende apenas da escolaridade. A escolha por trabalhos informais passa pelo entendimento de que nos empregos formais o brasileiro popular será útil principalmente em trabalhos manuais pesados e estará submetido ao comando de uma pessoa com menos experiência. No bairro onde pesquisei, a escola era um espaço tenso por vários motivos, entre eles, pela desconfiança que a comunidade de moradores em geral sentia pelos professores, que em geral eram pessoas escolarizadas, com gostos associados às camadas médias e que tendiam a ter um ar de superioridade em relação aos estudantes. Essa superioridade aparecia em comentários feitos abertamente sobre como os alunos daquela escola eram ruins academicamente, "nem na quinta série eles aprenderam a ler". A comunidade, incluindo estudantes e seus pais, desconfiava desses professores por eles não morarem no bairro e, por isso, não saberem "quem eles realmente são" — o estranho pode ser um pedófilo, pode tirar proveito do filho ou da filha. Ao mesmo tempo, a escola ganha importância, não pelo trabalho dos professores nas salas de aula, mas como espaço em que os adolescentes ficarão sob vigilância pelo menos uma parte do dia e portanto, nesse período, não estarão expostos a situações perigosas como desenvolver amizade com criminosos enquanto os pais estão fora do bairro trabalhando.

A escola, nessa visão, serve para vigiar que o filho ou a filha não se envolva em problemas; mas também, segundo muitos moradores, cria uma nova dor de cabeça ao tirar a criança e o adolescente da supervisão familiar deixando-os conviver muito tempo com colegas. O argumento desses pais é que a escola, pode desandar o filho ou a filha, porque nesse convívio com outros alunos aumenta o desejo do jovem por consumir, mas porque ele não aprendeu a "pegar no pesado" desde cedo, ele se torna desrespeitoso com adultos de casa e pode ver o crime como caminho para chegar a esses itens de consumo desejados.

A notícia sobre a abertura da primeira faculdade do país ligada a uma sigla política pode ser lida na reportagem de Frazão (2018) para o jornal *O Estado de S. Paulo*.

25. Maior igualdade de gênero [pp. 121-131]

A experiência da mulher brasileira em relação ao mercado de trabalho varia muito de acordo com o estrato social. A mulher popular sempre trabalhou, também fora de casa, conforme registra Fonseca (2004). A conquista do mundo do trabalho por parte das mulheres de camada média e alta, em parte, aconteceu tirando proveito do trabalho manual de mulheres pobres, que cumprem as funções domésticas como cozinheiras, faxineiras e babás para que suas patroas tenham carreiras.

Smilde (2012: 20) menciona uma lista extensa e variada de pesquisadores que associaram a adoção do cristianismo evangélico ao abandono do consumo de álcool. Entre os principais estudos sobre cristianismo e gênero, para escrever este capítulo utilizei Couto (2002), Mariz & Machado (1997), Burdick (1998), Machado (1996) e Duarte (1988 e 2016). O argumento-chave neste capítulo é que o significado de empoderamento é diferente para mulheres das camadas populares e mulheres das camadas média e alta, e que, portanto, no contexto das camadas populares, a entrada da mulher na igreja evangélica em geral fortalece a mulher dentro de sua família. Mas isso não pode ser generalizado para todos os muitos grupos evangélicos que existem no Brasil. A pesquisa de Vilhena (2011) conclui, por exemplo, que em vez de fortalecer a mulher, o ambiente evangélico reprime aquelas que são vítimas de violência familiar.

As aspas do antropólogo Ricardo Mariano são de sua participação no debate *Os Evangélicos na Sociedade e na Política: efeitos e significados de uma influência crescente*, realizado pela Fundação Fernando Henrique Cardoso em 2019. O evento foi registrado por Dias (2019) para o *site* da mesma fundação.

O dado sobre a presença predominante de mulheres entre evangélicos é mencionado por Alvito (2012, 27). Segundo o Censo de 2010 do IBGE, existem 23,5 milhões de mulheres evangélicas ante 18,7 milhões de homens. Martin (2013) apresenta dados semelhantes em relação à China, Índia, África e América Latina.

O trecho citado da antropóloga Maria Campos Machado está em Machado (2005). Ela explica que "enquanto os homens procuram a comunidade religiosa em situações que põem em ameaça a identidade masculina predominante na sociedade, as mulheres se colocam como guardiãs das almas de todos que integram a família, buscando os grupos confessionais sempre que um dos seus familiares se mostre em dificuldades". Ela ainda argumenta que a mulher evangélica encontra um novo espaço para ocupar na igreja como pregadora e que nessa função ela tem novas possibilidades, incluindo viajar para eventos religiosos. A noção de que a mulher evangélica é estimulada a reconstituir laços familiares "ganhando o marido pelo silêncio" em vez de rompê-los está em Mafra (2001).

A opinião do sociólogo britânico David Lehmann sobre a importância das mulheres na organização das igrejas aparece em Queiroz (2019).

As conclusões de Teixeira sobre relações de gênero na Igreja Universal aparecem na entrevista com ela a partir da reportagem de Rossi (2019) para o jornal *El País* Brasil e na reportagem de Queiroz (2019) para a revista *Pesquisa Fapesp*. A pesquisa original está em Teixeira (2012).

O caso etnográfico sobre Marley retrata a situação comum na localidade em que pesquisei, em que homens habitam os espaços externos do bairro e de fora do bairro, e têm o bar como ambiente de encontro e cultivo de relacionamento com outros homens, enquanto a mulher, sobretudo a casada, habita essencialmente a casa e constrói vínculos com outras mulheres da vizinhança. Como taxista que atendia hotéis turísticos da região, Marley ganhava mais do que a média das famílias da região. Em uma ocasião, perguntei uma vez como seria a vida dele sem as farras e ele respondeu sem pensar: "Eu seria um homem rico". Caso ele resolva acompanhar a atual esposa e se converter, Marley trocará o convívio nos bares pelas relações com a comunidade da igreja e sua receita mensal deixará de ser gasta no consumo de bebidas alcoólicas.

O estudo sobre relações de gênero e pentecostalismo nas camadas populares da Bolívia está em Gill (1990).

26. Notas sobre sexualidade e homoafetividade [pp. 131-134]

Para quem se contenta com a imagem estereotipada do evangélico, no campo da sexualidade ele é retratado como alguém reprimido, que só faz sexo para a reprodução. Usando o vocabulário popular, em termos de sexo o evangélico e a evangélica seriam "recalcados". Mas conforme o capítulo mostra, igrejas vêm tratando de fortalecer o relacionamento do casal por meio do diálogo, inclusive sobre assuntos íntimos. Um exemplo desta atitude pode ser visto pela popularidade das pregações do pastor Cláudio Duarte sobre esse tema, disponíveis no YouTube — ver Duarte (2013).

A mudança das diretrizes na Igreja Luterana alemã para descrever uma família como um núcleo formado não apenas pela união entre homem e mulher foi reportada na BBC Brasil por Neher (2017). O jornal *O Globo* publicou uma reportagem (Pains e Kapa, 2019) sobre igrejas evangélicas brasileiras se tornando mais abertas à comunidade LGBT.

A informação sobre a existência de um grupo LGBT aceito, mas mantido em segredo na Igreja Batista da Lagoinha, foi mencionada em *off* por membros dessa congregação. Rossi (2017) fez a reportagem acompanhando a aplicação de questionários por um grupo de cientistas sociais durante a Marcha para Jesus daquele ano.

Um estudo recente sobre a Bola de Neve Church foi publicado por Dantas (2010).

O trecho da historiadora Olívia Dias adicionado ao capítulo pelo autor, e originalmente foi enviado na forma de comentários sobre o livro.

27. A teologia da prosperidade [pp. 134-138]

O título em português da obra clássica de Weber é *Ética protestante e o espírito do capitalismo*. Novas interpretações sobre essa relação entre protestantismo e capitalismo — por exemplo em Schama (1988) e Campbell (2005) — concluem que Weber teria dado muita importância à disciplina severa e à ética para o desenvolvimento do capitalismo. Segundo eles, ascetismo, utilitarismo e romantismo se complementariam como características importantes que influenciaram, na Idade Moderna, a formação do capitalismo europeu.

As aspas do antropólogo Ronaldo de Almeida foram publicadas na revista da *Fapesp* (Queiroz, 2019). Os estudos sobre a teologia da prosperidade que uso como referência são Mariano (1996, 1999 e 2004), Lima (2007a, 2007b e 2012), Mafra (2001) e Mafra, Swatowiski e Sampaio (2012).

Sobre a possível adoção de características do neopentecostalismo por religiosos pentecostais, me baseio em Machado (2001) e em Swatowiski (2009). Presenciei essa aproximação durante meu trabalho de campo. A igreja mais próspera do bairro era a Assembleia de Deus. Na sua sede local, continuamente observei a importância da exibição da prosperidade; via, por exemplo, estacionar carros na frente da igreja e o uso de roupas caras nos principais cultos, às quartas e aos domingos. Essa mudança não agradava todas as pessoas da congregação, e setores descontentes reclamavam desse consumo conspícuo que estaria afastando pessoas da igreja, pessoas mais pobres que estariam se sentindo envergonhadas de aparecer no culto por não terem roupas à altura.

A fala do pastor Henrique Vieira está na parte 1 da entrevista concedida por ele a Veloso (2018).

Parte 5: A religião mais negra do Brasil
28. Uma alternativa aos espaços segregados [pp. 141-143]

Mafra (2001) e também Ryrie (2017, 202 e 248) foram as minhas principais fontes de referência sobre o protestantismo chegando ao Brasil no século 19. A descrição das características que fizeram o pentecostalismo ser reconhecido como uma "religião dos pobres" está em Martin, Berger e Berger (1990) e Martin (2013). Essas análises vão ao encontro das conclusões de Machado (2005), que cito como aspas no capítulo que, juntamente com Mariano (2011), explicita o impacto simbólico e prático para o brasileiro popular que vem com a escolha de trocar a missa católica pelo protestantismo.

Fonseca (2001, 56) e Foster (1967) apresentam a ideia de mecanismos niveladores que combatem a distinção individual principalmente por meio do ataque ao prestígio da pessoa que quer se diferenciar.

29. Trânsito religioso, convívio [pp. 143-146]

A definição de trânsito religioso, utilizada neste capítulo, está em Couto (2002) e Mariz e Machado (1994, 1997). O documentário *Santo Forte* (Coutinho, 2018) registra situações de trânsito religioso.

30. A religião dos afrodescendentes [pp. 147-150]

Ryrie (2017) se refere ao *revival* (avivamento) protestante em relação a momentos de mudanças, geralmente associados à religiosidade nos grupos populares, em que o fiel busca a experiência direta e muitas vezes sensorial com Deus e que isso é percebido por grupos de igrejas avivadas como sendo mais importante do que deter o conhecimento erudito para interpretar a Bíblia. Na mesma obra, Ryrie menciona momentos anteriores à Reforma Protestante em que o catolicismo foi criticado de dentro, por grupos católicos, que trouxeram argumentos semelhantes aos de Lutero e Calvino. Talvez o exemplo mais conhecido de contestação da religiosidade letrada a partir de um retorno ao cristianismo primitivo seja o promovido por São Francisco de Assis.

O termo pentecostalismo foi apresentado, e suas características destacadas nos capítulos 10 e 11. Ryrie (2017, 508) analisa os elementos que constituem o pentecostalismo em relação a outros casos de avivamento ao longo da história do protestantismo.

A fusão de experiências que produz o pentecostalismo em uma igreja abandonada em Los Angeles é narrada por Ryrie (2017, 512-14). A percepção do pentecostalismo como "uma fusão nojenta de superstição vudu africana e insanidade caucasiana" aparece em Ryrie (2017, 516). Ryrie (2017, 516) também analisa o aspecto possivelmente mais conhecido — e ridicularizado — do pentecostalismo, o "falar em línguas estranhas", em relação à característica missionária do pentecostalismo.

No Brasil, Birman (1994) estudou as relações entre o pentecostalismo e as religiões de matriz afro. A adesão ao pentecostalismo, mencionada pelo antropólogo Ronaldo de Almedia, no contexto do crescimento da criminalidade nas periferias, foi registrada por Dias (2018).

Parte 6: Reciclagem de almas — traficantes e cristianismo
31. A fé atrás das grades [pp. 153-156]

Logo no início cito Smilde (2012: 21), que resume as conclusões de pesquisas sobre as consequências da conversão evangélica para quem está exposto ao cotidiano dos bairros periféricos, marcados por conflitos entre organizações criminosas. Este capítulo e o seguinte são baseados quase inteiramente nos *insights* oferecidos por Johnson (2017).

Um dos apelos deste livro é a disposição desse sociólogo americano em observar o tema da conversão de perto e sem julgamentos. Desde o debate metodológico aberto nos anos 1920 por Malinovski (2018), uma das ambições do antropólogo é explicar o ponto de vista a partir do qual as pessoas pesquisadas entendem o mundo e tomam suas decisões. A metodologia, chamada de "observação participativa", é aplicada por pesquisadores de outras disciplinas. Foi o caso de Johnson que, como sociólogo, decidiu que era importante para sua pesquisa sociológica, que ele "experienciasse" durante algumas semanas a vida dentro de uma prisão brasileira (2017, 13-38).

Esse tipo de escolha metodológica é delicado, porque deixa o pesquisador em uma situação de maior exposição e vulnerabilidade. O caso de Johnson é extremo e foi planejado cuidadosamente — a escolha da prisão, da cela em que ele ficou, até que as partes envolvidas, inclusive o sistema prisional brasileiro e a universidade onde Johnson estava fazendo seu doutorado, autorizassem a realização dessa parte da pesquisa. Mas os estudos que utilizam a observação participante trazem, além de dados originais sobre o ambiente estudado, o entendimento sutil de que esse "outro" que, como cientistas sociais, nos dispomos a conhecer, não são pessoas excepcionais, e que, como todos nós, elas vivem seus papéis na sociedade e fazem escolhas a partir das possibilidades de ação que percebem.

A explicação mencionada entre aspas de um preso sobre o motivo da conversão está na página 2 do mesmo livro. A comparação da Igreja e do crime do ponto de vista organizacional, como âmbito de convício de pessoas que vivem sob as mesmas regras e compartilham uma identidade, é debatida nas páginas 181-2.

32. "A fé das pessoas matáveis" [pp. 156-158]

Assim como o capítulo anterior, este apresenta os resultados da pesquisa de Johnson (2007) sobre a conversão religiosa para o cristianismo evangélico que acontece em prisões e cadeias brasileiras. A ideia de que o cristianismo evangélico empodera brasileiros que historicamente não são ouvidos dentro da sociedade está em Johnson (2007, 184). No caso dos presidiários e criminosos, a noção de "fé das pessoas matáveis" é proposta na página 10. Johnson (2017, 5) fala do cristianismo como "um sistema de crenças", que permite ao criminoso incorporar uma identidade nova perante a sociedada. Isso acontece (2017, 177) porque grupos evangélicos dentro e fora das prisões passam a funcionar para o criminoso como uma "comunidade imaginária". Esse mesmo *insight* aparece no artigo de Meyer (1998).

33. Uma proteção para quem deixa o crime [pp. 158-161]

Contei a história de Felipe originalmente no capítulo 6 do meu livro (Spyer, 2018). O capítulo é sobre relações de poder envolvendo a presença do Estado, para disputas entre pessoas, e a influência dos meios digitais nessas situações de atrito.

A relação entre *rap* e espiritualidade é exemplificada em Cândido (2017).

34. A oração do traficante [pp. 161-164]

Este capítulo é baseado no estudo etnográfico que Vital (2015) realizou em favelas do Rio de Janeiro. Vital comenta o preconceito mesmo dentro da academia em relação à ideia de que traficantes podem se converter genuinamente ao cristianismo na entrevista feita por Cunha (2017). A expressão "rezar para a arma" representa a prática de dar proteção espiritual para a arma ser protegida e guiada por Deus.

35. Irmãos no crime, irmãos em Cristo [pp. 164-167]

O livro *Irmãos* (Feltran 2018) apresenta a tese do autor de que o PCC não funciona como uma empresa, a partir de uma estrutura hierárquica em que existe no topo um chefe seguido por funcionários com níveis de responsabilidade na gestão do negócio. Mas como o livro trata principalmente de criminosos das camadas populares, o autor faz referência ao tema do cristianismo evangélico em vários capítulos. É a partir desses pontos de intersecção que este capítulo resulta. Uso também a declaração de um jovem detento originalmente publicada no livro anterior de Feltran (2011).

Parte 7: A esquerda e os evangélicos
36. Religião e política [pp. 171-175]

A repercussão do artigo de Lilla (2016) para o *New York Times* e o debate que foi aberto levaram o autor a desenvolver suas ideias para publicá--las em formato de livro (Lilla 2018). A vitória de Trump na campanha presidencial americana que Lilla examina aconteceu no mesmo ano da eleição municipal que elegeu Marcelo Crivella ao cargo de prefeito da cidade do Rio de Janeiro. As análises de Lilla no *New York Times* e de Dutra, sobre a vitória de Crivella, foram publicadas com uma semana de diferença, o que reflete uma perspectiva antipolarizadora em nível internacional. A observação de Smilde sobre a visão do neomarxismo sobre o cristianismo evangélico pode ser lida em Smilde (2012:25-26).

A fala do pastor Henrique Vieira foi transcrita da primeira parte de sua entrevista a Caetano Veloso (2018), publicada pelo Mídia Ninja via YouTube.

37. Em vez de alianças de ocasião... [pp. 175-177]

A pesquisa do Instituto Datafolha sobre o voto evangélico aparece em detalhes na reportagem de Balloussier e Moura (2017). O estudo mencionado a partir de entrevistas realizadas na Marcha para Jesus está detalhado em matéria não assinada (*CartaCapital*, 2017). A fala de Benedita Silva foi transcrita do documentário de Neves (2015). A fala do diretor da Open Society Foundation, Pedro Abramovay, foi publicada no Facebook pelo próprio autor do *post* e reproduzida *online* em Abramovay (2017).

38. Individualismo e meritocracia [pp. 177-178]

Para falar sobre a perspectiva neoliberal do evangélico neopentecostal, uso como referência Lima (2007a, 2007b e 2012) e as conclusões de um estudo que não tem crédito de autor, mas que foi disponibilizado *online* como publicação da Fundação Perseu Abramo (2017). Essas análises vão ao encontro de minhas impressões registradas durante a pesquisa de campo. Meus informantes evangélicos mais frequentemente obtinham suas rendas por meio de uma combinação de emprego e empreendedorismo materializado em micronegócios. Ao contrário, os católicos geralmente atuavam de forma mais tradicional e demonstravam menos interesse em prosperar. Frequentemente eram funcionários públicos, vendiam informalmente seu trabalho manual como faxineiros ou seguranças, ou tinham negócios tradicionais como armarinhos. A citação do antropólogo Ronaldo de Almeida está em Almeida (2019).

39. Evangélicos e a luta por direitos e dignidade [pp. 178-180]

Conforme o capítulo indica, uso como fonte a reflexão de Johnson (2017) comparando a participação de evangélicos na luta pelos direitos civis contra o racismo nos Estados Unidos nos anos 1960 e as consequências da atuação de igrejas evangélicas nas cadeiras e prisões brasileiras. Esse conteúdo aparece nas páginas 11-12, 175 e 188-189.

Considerações finais

40. Quem tem medo dos eevangélicos? [pp. 183-188]

As análises sobre a importância do voto evangélico para a eleição de Bolsonaro estão em Almeida (2019) e em Alves (2019). As conclusões do sociólogo Marcos Coimbra sobre o mesmo tema estão em *Brasil 247* (2019). A entrevista com a antropóloga Jacqueline Moraes Teixeira foi feita por Rossi (2019). Moura e Corbellini (2019) dissecaram os vários fatores que favoreceram a escolha de Bolsonaro como presidente na eleição de 2019. A entrevista com o sociólogo David Smilde pode ser encontrada em Gagliardi e Sanglard (2016). As aspas do sociólogo David Lehmann estão em Queiroz (2019).

41. A força dos evangélicos hoje [pp. 189-192]

O Censo do IBGE em 2010 indica que pouco mais de 20% do Brasil é evangélico, mas o Datafolha (2016) trouxe um resultado novo indicando que um a cada três brasileiros com mais de 16 anos — portanto, mais de 30% — é evangélico. E os cálculos sobre a expectativa de crescimento do número de evangélicos e a redução de católicos aparecem em Alves (2018). A análise do mesmo Alves, sobre a característica "silenciosa" da mudança de perfil do Brasil, de católico para evangélico, aparece em Ritto (2017). O termo "revolução silenciosa", mencionado por José Eustáquio Diniz neste capítulo, vem sendo usado pelo sociólogo peruano José Luis Pérez Guadalupe, coeditor de Guadalupe e Grundberger (2018).

Os dados do IBGE sobre o tamanho da Igreja Universal foram usados na reportagem de Leal e Thomé (2012). O dado sobre o patrimônio do bispo Edir Macedo foi citado por Queiroz (2019) a partir de informações publicadas pela revista *Forbes*.

No relato de Gustavo (2019), "Como eu descobri o plano de dominação evangélico", o autor escreve sobre a aplicação de métodos empresariais para conquistar novos fiéis: "Eu comecei a me dar conta disso alguns anos depois, quando a primeira igreja da qual fui membro iniciou uma transição para um modelo litúrgico e de evangelismo chamado MDA, sigla para Modelo de Discipulado Apostólico. Esse modelo é muito parecido ao que fazem as empresas de *marketing* multinível, conhecidas popularmente por pirâmide. De acordo com ele, a igreja deve ser dividida em pequenos grupos, chamados células, contendo cada uma um líder, que reúne seus liderados semanalmente na casa de um deles, para ensiná-los de acordo com um roteiro preestabelecido e, assim, formar novos líderes para que surjam novas células a partir dali".

Os dados sobre a expansão do mercado de música gospel aparecem originalmente em Cunha (2007). Os números sobre a audiência e o mercado das TVs abertas no Brasil, particularmente da Rede Record, foram publicados por Padiglione (2019) e Ricco (2017).

42. De pastor a político [pp. 192-194]

Conforme mencionei em capítulos anteriores, apenas uma parte dos cristãos segue as indicações de seus pastores na hora de escolher candidatos. E a relação entre Igreja e poder político costuma causar tensão entre a liderança da Igreja e a "membresia". Veja por exemplo: Rossi (2017) e Neves (2015).

O trecho do pastor de uma congregação pequena falando sobre sua disposição para promover candidatos evangélicos foi retirado de Gustavo (2019).

Mariano (2012) analisou como, para serem eleitos, candidatos evangélicos dependem de líderes de igrejas.

43. Um chamamento de Deus [pp. 194-196]

Em Ciências Humanas, "reflexividade" é o termo usado para a prática de o pesquisador analisar suas próprias motivações e pontos de vista em relação ao tema e às pessoas que ele ou ela está estudando. A reflexividade vem se tornando um aspecto importante principalmente nas pesquisas antropológicas.

Um exemplo de como a convivência entre os participantes da bancada evangélica pode ser complexa e crítica pode ser encontrado, por exemplo, em uma das falas do então deputado federal Cabo Daciolo, registrada em Neves (2015): "[A bancada evangélica] tem pessoas maravilhosas, tem pessoas que praticam o bem dentro dela, como acredito também ter os falsos profetas".

44. A bancada evangélica [pp. 196-200]

Os dados sobre o crescimento da bancada evangélica foram publicados por Gonçalves (2019b). A análise de Ricardo Mariano aparece em Gonçalves (2019c). O encontro entre líderes evangélicos e os expoentes da República foi noticiado por Gonçalves (2019a).

Na eleição de 2018 para o Congresso, a Assembleia de Deus elegeu 33 parlamentares e a Igreja Universal, 18.

As conclusões do sociólogo Ricardo Mariano sobre a heterogeneidade da bancada evangélica aparecem em Mariano (2012) e também em Queiroz (2019).

A deputada Benedita da Silva afirma em Neves (2015) que ela e os outros evangélicos do PT estão liberados pelo partido a não defender ou apoiar propostas relacionadas a casamento de pessoas do mesmo sexo, aborto e liberação de consumo recreativo de drogas.

As declarações de evangélicos sobre suas expectativas para o governo Bolsonaro aparecem em Portinari (2018).

A matéria com a fala da recém-anunciada secretária-executiva do MEC, Iolene Lima, foi registrada por Arias (2019).

As aspas do pastor Davi Lago estão na conclusão de Lago (2018).

Sobre a relação de evangélicos com a polícia, notei durante minha pesquisa de campo como a roupa é um diferenciador essencial para a polícia proteger, ignorar ou enquadrar uma pessoa. O evangélico recebe tratamento especial por ser percebido como pessoa "de bem", "comportada" e "trabalhadora", em oposição ao que não é evangélico, geralmente o jovem que, muitas vezes sem ter ligação com o crime, exibe sua rebeldia usando "roupas de *shopping center*", cujo preço, segundo o raciocínio da polícia, não estaria ao alcance do cidadão pobre, a menos que ele tenha envolvimento com o crime.

45. Um projeto de poder [pp. 200-205]

O plano de fazer parte da máquina do Estado está anunciado no livro de Macedo e Oliveira (2011). A denúncia de que o prefeito do Rio, Marcelo Crivella, fez ofertas de ajuda institucional para líderes evangélicos foi noticiada por Abbud e Seabra (2018).

O trecho da antropóloga Maria Campos Machado aparece em Melo (2012).

Dip (2018) é a autora do livro-reportagem sobre o poder da bancada evangélica no Congresso Nacional. A entrevista com a pesquisadora Christina Vital da Cunha, concedida originalmente ao jornal *Folha de S.Paulo*, aparece citada em Dip (2018, 138-139).

Na parte final deste capítulo, sintetizo as conclusões publicadas em Smith (2019).

O estudo do Pew Research Center, citado pelo antropólogo Flávio Conrado, pode ser encontrado em Poushter e Fetterolf (2019). O trecho do ensaio do antropólogo está em Conrado (2019).

A pesquisa nacional do Ideia Big Data, feita com exclusividade para *O Globo*, mencionada no capítulo, ouviu 800 evangélicos com mais de 18 anos entre 13 e 17 de junho de 2019. A margem de erro é de 3,15% para mais ou para menos.

O dado sobre a mudança de postura dos evangélicos desde que eles se instalaram no Brasil no século 19 em relação à atualidade está no artigo de Pierucci (1996).

A comparação, no contexto dos Estados Unidos, do fanatismo evangélico com o fanatismo talibã é de Weatherby (2017).

O trecho do antropólogo Ronaldo de Almeida está em Almeida (2019).

O anúncio da intenção do governo Bolsonaro de indicar um ministro evangélico foi noticiado por Gortázar (2019).

46. Críticas ao movimento evangélico [pp. 205-211]

Conforme está apresentado em outras partes deste livro, a minha pesquisa de doutorado (Spyer, 2018) foi sobre as consequências do uso das mídias sociais pelos brasileiros das camadas populares. Os relatos etnográficos deste livro vêm de anotações feitas durante os 18 meses de pesquisa de campo para o doutorado.

47. Tirar o eleitor da zona de conforto [pp. 211-214]

Os dados e análises sobre as consequências favoráveis do fim da guerra às drogas para a sociedade são apresentados por Hari (2015).

48. Aquecimento global, Covid-19 e o futuro do cristianismo evangélico [pp. 214-215]

A parte inicial do capítulo é produto de uma série de conversas, ao longo da década de 2010, com o agrônomo Carlos Vicente, ativista ambiental ligado ao partido Rede Sustentabilidade, e também evangélico pentecostal. O argumento de que igrejas evangélicas do Brasil aceitam e reproduzem a crítica dos ambientalistas ao desenvolvimento econômico via devastação florestal está em Smith (2019).

A notícia sobre as denúncias de sequestro de crianças indígenas foi publicada pelo *Correio Braziliense* (2009). A compra do helicóptero para levar missionários a tribos isoladas na Amazônia foi noticiada pela revista *Época* (2020).

O trecho do panfleto sobre a Teologia da Prosperidade está em Bitun (2008). A minha reflexão sobre a percepção das camadas populares diante das Jornadas de Junho e Julho, em 2013, está em Marreiro (2017).

A relação dos municípios brasileiros com maiores taxas de desmatamento está listada no SAD (Sistema de Alerta de Desmatamento) (https://imazon.org.br/) de junho de 2020.

Os dados sobre aquecimento global aparecem em Alter (2019) e Wallace-Wells (2019). O perfil de Greta Thunberg está em Alter (2019). A citação sobre pentecostalismo e urbanização está em Davis (2006).

O final do capítulo sobre evangélicos e sustentabilidade foi baseado principalmente em um estudo encomendado pela agência Purpose (Spyer 2021) e nas conclusões da pesquisa em andamento do sociólogo Renan William Santos. Ele está no estágio final de produção da tese intitulada "Orientações religiosas sobre a conduta ecológica: a adesão ambientalista nas religiões católica e evangélicas no Brasil". Ele menciona na entrevista os artigos já publicados: Santos (2019), Santos (2020) e Prandi e Santos (2019).

Referências bibliográficas

Abbud, B. and Seara, B. 2018. "Em agenda secreta com pastores, Crivella oferece cirurgias de catarata e ajuda no IPTU." *O Globo* (5 jul. 2018) http://oglobo.globo.com/brasil/em-agenda-secreta-com-pastores-crivella-oferece-cirurgias-de-catarata-ajuda-no-iptu-22856111.

Abramovay, P. 2017. "O diálogo das esquerdas com as bases religiosas do Brasil precisa ser repensado." *Jornal A Pátria* (24 out. 2017) http://jornalapatria.wordpress.com/2017/10/24/o-dialogo-das-esquerdas-com-as-bases-religiosas-do-brasil-precisam-ser-repensadas-por-pedro-abamovay/.

Alexandre, R. 2014. "Religião e poder: afinal, quem são os evangélicos?"*CartaCapital* (8 Set. 2014) http:// goo.gl/jcaM7k.

Almeida, R. 2009. *A Igreja Universal e seus demônios: um estudo etnográfico.* São Paulo: Terceiro Nome.

Almeida, R. de. "Deus acima de todos." Abranches, S. *et al.*, 2019. *Democracia em risco? 22 ensaios sobre o Brasil hoje.* São Paulo: Companhia das Letras. 2333.

Alter, Charlotte, *et al.*, 2019. "Greta Thunberg: TIME's Person of the Year 2019." *Time*, Dec. 2019, www.time.com/person-of-the-year-2019-greta-thunberg/ .

Alves, J. E., Cavenaghi, S., Barros, L. F. and Carvalho, A. A. de. 2017. ""Distribuição espacial da transição religiosa no Brasil." *Tempo Social* 29(2): 215-42.

Alves, J. E. D. 2018. "Transição Religiosa — Católicos abaixo de 50% até 2022 e abaixo do percentual de evangélicos até 2032." *EcoDebate* (5 dez. 2018) http://www.ecodebate.com.br/2018/12/05/transicao-religiosa-catolicos-abaixo-de-50-ate-2022-e-abaixo-do-percentual-de-evangelicos-ate-2032-artigo-de-jose-eustaquio-diniz-alves/.

Alves, J. E. D. 2019. 'As mulheres evangélicas pobres e a eleição de Bolsonaro.' *EcoDebate* (6 mar. 2019) http://www.ecodebate.com.br/2019/03/06/as-mulheres-evangelicas-pobres-e-a-eleicao-de-bolsonaro-artigo-de-jose-eustaquio-diniz-alves/.

Alvito, M. 2012. "Nós contra o mundo. Pentecostais ajudam na inserção social dos mais pobres, mas criam uma guerra espiritual: fora da igreja só existe o diabo." *Revista de História do Museu Nacional* 87(8): 27-9.

Anderson, J. L. 2017. 'Gangland.' *The New Yorker* (10 Jul. 2017) http://www.newyorker.com/magazine/2009/10/05/gangland.

Annis, S. 1987. *God and Production in a Guatemalan Town.*. Austin: University of Texas Press.

Arias, J. 2019. "Querer colocar a Bíblia no centro da educação escolar significa devolver o Brasil às cavernas." *El País* (23 Mar. 2019) bit.ly/2Fmf3zy.

Assis, A. A. F. D. 2012. "O fim de um monopólio." *Revista de História da Biblioteca Nacional* 87(8): 24-6.

Athayde, A. T. "Se em nome de Cristo destroem, em nome de Cristo vamos reconstruir: evangélicos ajudam a reerguer terreiro queimado." *BBC News Brasil* (24 Abr. 2018) http://bbc.in/2u9gBqL.

Azevedo, R. 2017. "O IBGE e a religião — Cristãos são 86,8% do Brasil; católicos caem para 64,6%; evangélicos já são 22,2%." *Veja* (18 fev. 2017) http://goo.gl/j1DkdY.

Balloussier, A. V. 2017. "'Tráfico evangelizado' é acusado de liderar ataques a terreiros no Rio." *Folha de S.Paulo* (10 out. 2017) http://www1.folha.uol.com.br/cotidiano/2017/10/1922713-trafico-evangelizado-e-acusado-de-liderar-ataques-a-terreiros-no-rio.shtml.

Balloussier, A. V. and Moura, E. 2017. "Voto religioso só guia 2 entre 10 brasileiros, diz Datafolha." *Folha de S.Paulo* (23 out. 2017) http://www1.folha.uol.com.br/poder/2017/10/1929305-voto-religioso-so-guia-2-entre-10-brasileiros-diz-datafolha.shtml.

Balloussier, A. V. "Avanço evangélico no Norte explica preocupação católica em encontro de bispos." *Folha de S.Paulo* (9 out. 2019) www1.folha.uol.com.br/poder/2019/10/avanco-evangelico-no-norte-explica-preocupacao-catolica-em-encontro-de-bispos.shtml.

Barros, A. and Roberto, C. 2012. "Árvore evangélica." Infográfico. *Revista de História do Museu Nacional* 87(8): 22-3.

Barros, A. 2012. "'Igrejas evangélicas por número de fiéis." Infográfico. *Revista de História do Museu Nacional* 87(8): 22.

Berger, P. L. 2013. "Afterword." Hefner, R. W.org., Global *Pentecostalism in the 21st century.* Indiana: Indiana University Press.

Birman, P. 1994. "Cultos de possessão e pentecostalismo no Brasil: passagens." *Religião e Sociedade.* 17(1-2): 90-109.

Birman, P. e Leite, M.P. 2000. "Whatever happened to what used to be the largest catholic country in the world?" *Daedalus* 129(2): 271-90.

Birman, P. 2012. "O poder da fé, o milagre do poder: mediadores evangélicos e deslocamento de fronteiras sociais." *Horizontes Antropológicos* 18(37): 133-53.

Bitun, R. 2008. "Transformações do campo religioso pentecostal brasileiro A antecipação da parúsia cristã e a transformação da Ética do trabalho para a Ética do consumo." Em *Ciências da Religião — História e Sociedade,* Volume 6, N. 2.

Boyer V. 2008. *Expansion évangélique et migrations en Amazonie brésilienne. Marseille*; Pari: IRD; Karthala (Religions Contemporaines).

Boyer, V. 2013. "Fazer a queda de um trampolim: Ou como um soldado da borracha se tornou pastor." Religião e Sociedade, 33(2).

Burdick, J. 1998. "The lost constituency of Brazil's black movements." *Latin American Perspectives* 25(1): 136-55.

Burgess, S. M., Van Der Maas, E. M., org. 2002. *The New International Dictionary of Pentecostal and Charismatic Movements.* Grand Rapids: Zondervan.

Bustamante, L. 2017. "Em nome de Jesus bandidos destroem terreiro no Rio." *Veja* (8 out. 2017) http://goo.gl/u9Vrbu.

Campbell, C. 2005. *The romantic ethic and the spirit of modern consumerism*. Great Britain: WritersPrintShop.

Cândido, M. 2017. "Por que rap e espiritualidade andam juntos." Revista *Trip* (9 ago. 2017) http://bit.ly/2Wwlcnu.

Conrado, F. 2019. "O bolsonarismo evangélico e o mal-estar que ele gera." *Nexo Jornal* (18 jun. 2019) http://bit.ly/2IvRvKL.

Coutinho, E. (diretor). 2018. *Santo Forte*. YouTube, 24 fev. 2018. http://www.youtube.com/watch?v=bf9-GiJfwog.

Couto, M. T. 2002. "Na trilha do gênero: pentecostalismo e CEBs." *Estudos feministas* 10(2): 357-69.

Cunha, M. do N. 2007. *A explosão gospel: um olhar das ciências humanas sobre o cenário evangélico no Brasil*. Rio de Janeiro: Mauad.

Cunha, R. 2017. "Livro de professora da UFF analisa relação entre religiosidade e tráfico." Universidade Federal Fluminense (20 mar. 2017) http://bit.ly/2kOzQCi.

Dantas, B. S. do A. 2010. "A dupla linguagem do desejo na Igreja Evangélica Bola de Neve." *Religião & Sociedade* 30(1): 53-80.

Davis, M. 2006. *Planet of slums*. New Perspectives Quarterly, 23(2), 6-11.

Dias, O. 2019. "Os evangélicos na sociedade e na política: efeitos e significados de uma influência crescente." Fundação FHC (8 mai. 2019) http://fundacaofhc.org.br/iniciativas/debates/os-evangelicos-na-sociedade-e-na-politica-efeitos-e-significados-de-uma-influencia-crescente.

Dip, A. 2018. *Em nome de quem? A bancada evangélica e seu projeto de poder*. Rio de Janeiro: Civilização Brasileira.

Duarte, C. 2013. *Casamento e sexo com Cláudio Duarte*. YouTube, 30 mai. 2013. http://www.youtube.com/watch?v=9qoqQujoGJU.

Duarte, L. F. D. 1988. *Da vida nervosa nas classes trabalhadoras urbanas*. Rio de Janeiro: Zahar.

Duarte, L. F. D. 2016. "Pouca vergonha, muita vergonha: sexo e moralidade entre as classes trabalhadoras urbanas." *Anais* 1(4): 607-629.

Dutra, R. 2016. 'A esquerda e os evangélicos: o que aprender com a vitória de Crivella.' *El País* (7 nov. 2016) http://goo.gl/vQyn3j.

Eller, J. D. 2018. *Introdução à antropologia da religião*. Rio de Janeiro: Editora Vozes.

Feltran, G. S. 2011. *Fronteiras de tensão: política e violência nas periferias de São Paulo*. São Paulo: Unesp/CEM-Centro de Estudos da Metrópole.

Feltran, G. 2018. *Irmãos: Uma história do PCC*. São Paulo: Editora Companhia das Letras.

Fernandes, F. 2015. *O negro no mundo dos brancos*. São Paulo: Global Editora e Distribuidora Ltda.

Fernandes, G. et al. 2011. "Graças a Deus." *RioOnWatch* (5 mai. 2011) http://rioonwatch.org.br/?p=1641.

Fonseca, C. 2000. *Família, fofoca e honra: etnografia de relações de gênero e violência em grupos populares*. Porto Alegre, RS: Editora da Universidade Federal do Rio Grande do Sul.

Fonseca, C. 2004. "Ser mulher, mãe e pobre." Del Priore, M., org. 2004. *História das mulheres no Brasil*. São Paulo: Contexto.

Fonseca, C. 2008. "Preparando-se para a vida: reflexões sobre escola e adolescência em grupos populares." *Em aberto* 14(61): 144-55.

Foster, G. M. 1965. "Peasant society and the image of limited good." *American anthropologist* 67(2): 293-315.

Foster, G. M. 1967. *Tzintzuntzan: Mexican peasants in a changing world*. Boston: Little Brown and Company.

Frazão, F. "MEC autoriza funcionamento de faculdade de partido ligado à Universal."*O Estado de S. Paulo* (11 nov. 2018) http://is.gd/WOx570.

Gagliardi, J. and Sanglard, F. 2016. "Política, comunicação e o contexto político atual na Venezuela e no Brasil (Entrevista com David Smilde)." *Compolítica* 6(1): 165-75.

Gortázar, N. G. 2019. "Um ministro 'terrivelmente evangélico' a caminho do Supremo Tribunal Federal." *El País* (10 jul. 2019) https://brasil.elpais.com/brasil/2019/07/10/politica/1562786946_406680.html.

Gill, L. 1990. "Like a veil to cover them: women and the Pentecostal movement in La Paz." *American Ethnologist* 17(4): 708-21.

Glazier, S. D. 1980. "Pentecostal exorcism and modernization in Trinidad, West Indies." *Perspectives on Pentecostalism: case studies from the Caribbean and Latin America*. Washington, DC: University Press of America. 67-80.

Gonçalves, E. 2019. "A evangélicos, Bolsonaro diz que 'falta fé' ao Brasil." *Veja* (12 abr. 2019) http://veja.abril.com.br/brasil/a-evangelicos-bolsonaro-diz-que-falta-fe-ao-brasil/.

Gonçalves, E. 2019. "A Deus o que é de César." *Veja* (3 mai. 2019) http://veja.abril.com.br/brasil/a-deus-o-que-e-de-cesar/.

Gonçalves, E. 2019. "O mais fiel dos eleitores." *Veja* (3 mai. 2019) http://veja.abril.com.br/politica/o-mais-fiel-dos-eleitores/.

Guadalupe, P., Luis, J., & Grundberger, S. 2018. *Evangélicos y poder en América Latina*. Konrad Adenauer Stiftung e Instituto de Estudios Sociales Cristianos.

Gustavo, T. 2019. "Como eu descobri o plano de dominação evangélico — e larguei a Igreja." *The Intercept* (1 fev. 2019) theintercept.com/2019/01/31/plano-dominacao-evangelico/.

Hackett, C., Grim, B., Stonawski, M., Skirbekk, V., Potančoková, M., e Abel, G. 2012. *The global religious landscape*. Washington, DC: Pew Research Center.

Hari, J. 2015. *Chasing the scream: The first and last days of the war on drugs*. Londres: Bloomsbury Publishing.

Hefner, R. 2013. "Preface." *Global Pentecostalism in the 21st century*. Indiana: Indiana University Press.

Hillerbrand, H. J. 2004. *Encyclopedia of Protestantism: 4-volume*. Nova York: Routledge.

Hollenwerger, W. J. 2016. "Pentecostalismo." GISEL, P. *Enciclopédia do Protestantismo*. São Paulo: Editora Hagnos.

"Indígenas denunciam organizações missionárias evangélicas por sequestro de crianças." *Correio Braziliense*, 18 Apr. 2009. Disponível em: www.correiobraziliense.com.br/app/noticia/brasil/2009/04/18/interna-brasil,99946/indigenas-denunciam-organizacoes-missionarias-evangelicas-por-sequestro-de-criancas.shtml

Jenkins, P. 2002. *The Next Christendom: The Coming of Global Christianity*. Nova York: Oxford University Press.

Johnson, A. 2017. *If I give my soul: Faith behind bars in Rio de Janeiro*. Nova York: Oxford University Press.

Keane, W. 2007. *Christian moderns: Freedom and fetish in the mission encounter*. Berkeley: University of California Press.

Kuznesof, E. A. 1998. "The puzzling contradictions of child labor, unemployment, and education in Brazil." *Journal of Family History* 23(3): 225-39.

Lago, D. 2018. *Brasil polifônico: Os evangélicos e as estruturas de poder*. São Paulo: Mundo Cristão.

Leal, L. N. and Thomé, C. 2012. "Igreja Universal perde quase 230 mil fiéis em dez anos." *O Estado de S. Paulo* (29 ago. 2012) http://ciencia.estadao.com.br/noticias/geral,igreja-universal-perde-quase-230-mil-fieis-em-dez-anos,893365.

Lewis, O. 1959. *Five families: Mexican case studies in the culture of poverty*. Nova York: Basic Books.

Lilla, M. 2016. "The end of identity liberalism." *The New York Times* (18 nov. 2016) http://www.nytimes.com/2016/11/20/opinion/sunday/the-end-of-identity-liberalism.html.

Lilla, M. 2018. *O progressista de ontem e o do amanhã: Desafios da democracia liberal no mundo pós-políticas identitárias*. São Paulo: Companhia das Letras.

Lima, D. 2007. "'Trabalho', 'mudança de vida' e 'prosperidade' entre fiéis da Igreja Universal do Reino de Deus." *Religião & Sociedade* 27(1): 132-55.

Lima, D. 2007. "Ethos emergente: notas etnográficas sobre o 'sucesso'." *Revista Brasileira de Ciências Sociais* 22(65): 73-83.

Lima, D. 2012. "Prosperity and Masculinity: Neopentecostal Men in Rio de Janeiro." *Ethnos* 77(3): 372-99.

MacCulloch, D. 2004. *The reformation*. Nova York: Viking.

MacCulloch, D. 2010. *Christianity: The first three thousand years*. Nova York: Penguin.

Macedo, E. & Oliveira, C. 2011. *Plano de poder: Deus, os cristãos e a política*. Rio de Janeiro: Thomas Nelson Brasil.

Machado, L. 2012. "Igrejas evangélicas viram celeiro de profissionais para músicos e bandas." *G1* (2 mar. 2012) http://g1.globo.com/pop-arte/noticia/2012/03/igrejas-evangelicas-viram-celeiro-de-profissionais-para-musicos-e-bandas.html.

Machado, M. D. D. C. 2001. "Além da religião." *Cadernos CERU* 12(2): 139-50.

Machado, M. D. D. C. 2015. "Religion and politics in contemporary Brazil: an analysis of Pentecostal and Catholic Charismatics." *Religião & Sociedade* 35(2): 45-72.

Machado, M. D. D.C. and Burity, J. 2014. "A ascensão política dos pentecostais no Brasil na avaliação de líderes religiosos." *Dados – Revista de Ciências Sociais* 57(3):601-31.

Machado, M. D. D. C. 1996. *Carismáticos e pentecostais: adesão religiosa na esfera familiar*. São Paulo: Anpocs.

Machado, M. D. D. C. 2005. "Representações e relações de gênero nos grupos pentecostais." *Estudos Feministas* 13(2): 387-96.

Machado, M. D. D. C. 2013. "Conversão religiosa e a opção pela heterossexualidade em tempos de aids: notas de uma pesquisa." *Cadernos Pagu* (11): 275-301.

Machado, M. D. D. C. and de Barros, M. L. 2009. "Gênero, geração e classe: uma discussão sobre as mulheres das camadas médias e populares do Rio de Janeiro." *Estudos Feministas* 17(2): 369-93.

Mafra, C. 2001. *Os evangélicos*. Rio de Janeiro: Zahar.

Mafra, C. 2013. "Números e narrativas." *Debates do NER* 2(24): 13-25.

Mafra, C., Swatowiski, C. and Sampaio, C. 2012. "O projeto pastoral de Edir Macedo. Uma igreja benevolente para indivíduos ambiciosos?" *Revista Brasileira de Ciências Sociais* 27(78): 81-96.

Malinowski, B. 2018. *Argonautas do pacífico ocidental*. São Paulo: Ubu Editora.

"Marcha para Jesus foge da polarização política entre esquerda e direita." 2017. *CartaCapital* (21 jun. 2017) http://www.cartacapital.com.br/politica/marcha-para-jesus-foge-da-polarizacao-entre-esquerda-e-direita/.

"Marcos Coimbra: mulheres evangélicas pobres definiram vitória de

Bolsonaro." 2019. *Brasil 247* (24 fev. 2019) http:// is.gd/iZTt1C.

Mariani, D. and Ducroquet, S. 2017. 'A expansão evangélica no Brasil em 26 Anos.' *Nexo Jornal*. (6 nov. 2017) http://bit.ly/2YzSlLR.

Mariano, R. 1996. "Os neopentecostais e a teologia da prosperidade." *Novos Estudos* 44(44): 24-44.

Mariano, R. 1999. *Neopentecostais: sociologia do novo pentecostalismo no Brasil*. São Paulo: Edições Loyola.

Mariano, R. 2004. "Expansão pentecostal no Brasil: o caso da Igreja Universal." *Estudos Avançados* 18(52): 121-38.

Mariano, R. 2012. "Deus é o voto". *Revista de História do Museu Nacional*, Dossiê Brasil Evangélico 87: 31.

Mariz, C. 1992. "Religion and poverty in Brazil: a comparison of catholic and pentecostal communities." *Sociology of Religion* 53(Special Issue): S63-S70.

Mariz, C. L. 1995. "Perspectivas sociológicas sobre o pentecostalismo e o neopentecostalismo." *Revista de Cultura Teológica*. (13): 37-52.

Mariz, C. e Machado, M. D. D. 1994. "Sincretismo e trânsito religioso: comparando carismáticos e pentecostais." *Comunicações do ISER* 40(13): 24-34.

Mariz, C. e Machado, M. D. D. C. 1997. "Mulheres e práticas religiosas — um estudo comparativo das CEBS e Comunidades Carismáticas e Pentecostais." *Revista Brasileira de Ciências Sociais* (34).

Marques, L. 2011. "Dilma diz que discorda do kit-gay." *Veja* (26 mai. 2011) http://veja.abril.com.br/politica/dilma-diz-que-discorda-do-kit-gay/.

Marques, V. A. 2015. *Fé & Crime: evangélicos e PCC nas periferias de São Paulo*. São Paulo: Fonte Editorial.

Marreiro, F. 2017. "Classe C não usa Facebook para mobilização política, mas a rede motiva o jovem pobre a ler e escrever." *El País*. Disponível em: http://www.brasil.elpais.com/brasil/2017/11/20/politica/1511197107_444639.html.

Martin, D., Berger, P. and Berger, P. L. 1990. *Tongues of fire: The explosion of Protestantism in Latin America*. Oxford: Basil Blackwell.

Martin, D. 2013. "Pentecostalism: An alternate form of modernity and modernization." Hefner, R. W. org. 2013. *Global Pentecostalism in the 21st century*. Indiana: Indiana University Press. 37-62.

Masci, D. and Smith, G. A. 2018. "Following Rev. Billy Graham's Death, 5 Facts about U.S. Evangelical Protestants." *Pew Research Center* (1st mar. 2018) https://www.pewresearch.org/fact-tank/2018/03/01/5-facts-about-u-s-evangelical-protestants/.

Melo, A. 2012. "No ritmo de Jesus." *Revista de História* http://www.revistadehistoria.com.br/secao/artigos-revista/no-ritmo-de-jesus.

Mendonça, A. G. 2007. "Protestantismo no Brasil: um caso de religião e cultura." *Revista USP* (74): 160-73.

Miller, D., Costa, E., Haynes, N., McDonald, *et al*. 2016. *How the world changed social media Vol. 1*. Londres: UCL Press.

Moura, M. and Corbellini, J. 2019. *A eleição disruptiva: por que Bolsonaro venceu*. Rio de Janeiro: Record.

Neher, C. 2017. "Herdeira da Reforma Protestante, Igreja Luterana na Alemanha ordena mulheres e abre caminho para casamento gay." *BBC News Brasil* (3 set. 2017) http://www.bbc.com/portuguese/internacional-41086781.

Neves, F. (diretor). *Púlpito e Parlamento, Evangélicos na Política*. YouTube, 30 nov. 2015. http://youtu.be/xv4zV9ddPjQ.

Noll, M. A. 2011. *Protestantism: A Very Short Introduction*. Nova York: Oxford University Press.

Oliveira, M. D. 2015. *A religião mais negra do Brasil: Por que os negros fazem opção pelo Pentecostalismo?* Viçosa, MG: Ultimato.

Oro, A. P. 1997. "Neopentecostais e afro-brasileiros: quem vencerá esta guerra?" *Debates do NER* 1(1): 10-36.

Oro, A.P. 2003. "A política da Igreja Universal e seus reflexos nos campos religioso e político brasileiros." *Revista Brasileira de Ciências Sociais* 18(53): 53-69.

Oosterbaan, M. 2017. *Transmitting the Spirit: Religious Conversion, Media, and Urban Violence in Brazil*. Penn State Press.

Padiglione, C. 2019. "Globo perde audiência nacional no ano de 2018, enquanto Record e SBT registram crescimento." *Folha de S.Paulo* (5 jan. 2019) http://goo.gl/hgKZRe.

Pains, C. and Kapa, R. 2019. "Crescem pelo país igrejas evangélicas que incluem LGBTI." *O Globo* (10 fev. 2019) http://glo.bo/2URoigt.

"Percepções e valores políticos nas periferias de São Paulo." 2017. *Publicações Perseu Abramo* (2017) http://fpabramo.org.br/publicacoes/?p=3133.

Patuzzi, S. 2012. "A salvação pela fé. Sem intermediários." *Revista de História da Biblioteca Nacional* 87(8):20.

Pierucci, A. F. 1996. "Liberdade de cultos na sociedade de serviços." Pierucci, A. F. O. and Prandi, R. A. 1996. *Realidade social das religiões no Brasil*. São Paulo: Hucitec. 275-86.

Pierucci, A. F. 2004. "'Bye bye, Brasil': o declínio das religiões tradicionais no Censo 2000." *Estudos Avançados* 18(52): 17-28.

Pierucci, A. F. 2006. "Religião como solvente: uma aula." *Novos Estudos — CEBRAP* (75): 111-27.

Pierucci, A. F. 2011. "Eleição 2010: desmoralização eleitoral do moralismo religioso." Novos Estudos — CEBRAP (89): 6-15.

Prazeres, L. 2020. "Missionários compram helicóptero para evangelizar índios." *Época*, 28 Fev. 2020. Disponível em: http://www.epoca.globo.com/sociedade/missionarios-compram-helicoptero-para-evangelizar-indios-24277463

"Quarenta e quatro porcento dos evangélicos são ex-católicos." 2016. *Datafolha — Instituto de Pesquisas* (28 dez. 2016) http://goo.gl/iaioB8.

Queiroz, C. 2019. "Fé pública." *Pesquisa Fapesp* (Dez 2019).

"Revivalism." 2019. *Encyclopaedia Britannica* (10 dez. 2019) http://www.britannica.com/topic/revivalism-Christianity

Ricco, F. 2017. "Faturamento da Record dá quase a soma de SBT, Band e Rede TV!" *UOL* (3 fev. 2017) http://goo.gl/z9mEz8.

Risério, A. 2019. *Sobre o Relativismo Pós-Moderno e a Fantasia Fascista da Esquerda Identitária*. Rio de Janeiro: TopBooks.

Ritto, C. 2017. "O IBGE e a Religião — Cristãos são 86,8% do Brasil; católicos caem para 64,6%; evangélicos já são 22,2%: Reinaldo Azevedo." *Veja Online* (18 fev. 2017) http://goo.gl/j1DkdY.

Rubel, A. J. 1977. "'Limited Good' and 'Social Comparison': Two Theories, One Problem." *Ethos* 5(2): 224-38.

Porta dos Fundos. (programa). 2018. *Traficante Gospel*. YouTube, 3 mai. 2018. http://www.youtube.com/watch?v=eVueYFHA82M.

Portinari, N. 2018. "Vídeo: eleitor evangélico tem alta expectativa para governo Bolsonaro." *Época* (7 nov. 2018) http://goo.gl/jbsYP2.

Poushter, J. and Fetterolf, J. 2019. "A Changing World: Global Views on Diversity, Gender Equality, Family Life and the Importance of Religion." *Pew Research Center's Global Attitudes Project* (22 Abr. 2019) http://pewrsr.ch/2IvaPaE.

Prandi, R., Santos, R.W. e Bonato, M. 2019. 'Igrejas evangélicas como máquinas eleitorais no Brasil'. Revista USP, n. 1, vol. 120, p. 43-60. D.O.I.: https://doi.org/10.11606/issn.2316-9036.v0i120p43-60

Robinson, M. 2006. *Gilead*. Rio de Janeiro: Nova Fronteira.

Robbins, J. 2003. "On the paradoxes of global Pentecostalism and the perils of continuity thinking." *Religion* 33(3): 221-31.

Rossi, M. 2017. "Marcha para Jesus não confia nos políticos e defende respeito aos homossexuais nas escolas." *El País* (18 jun. 2017) http://goo.gl/2VbhCF.

Rossi, M. 2019. "Para muitas mulheres o processo de empoderamento está atrelado à Igreja." *El País* (14 mai. 2019) http://bit.ly/2W8WOaq.

Rudnitzki, E. 2019. "Empresas lançam serviço de reconhecimento facial para igrejas no Brasil." *Agência Pública* (13 nov. 2019) http://apublica.org/2019/11/empresas-lancam-servico-de-reconhecimento-facial-para-igrejas-no-brasil/.

Ryrie, A. 2017. *Protestants: the radicals who made the modern world*. Londres: William Collins.

Santos, R. W. 2019. 'Direitos da natureza e deveres religiosos: tensões entre a ecologia católica e movimentos ambientalistas seculares'. Religião & Sociedade, v. 39, n. 2, p. 78-99. D.O.I.: https://doi.org/10.1590/0100-85872019v39n2cap03

Santos, R. W. 2020. 'Entre o "cuidado da casa comum" e a "psicose ambientalista": disputas em torno da ecoteologia católica no Brasil'. Revista Brasileira de Sociologia, 8, 20, p. 78-101. D.O.I.: http://dx.doi.org/10.20336/rbs.666

Sarti, C. A. 1994. *A família como espelho: um estudo sobre a moral dos pobres na periferia de São Paulo*. Tese de doutorado, Universidade de São Paulo, São Paulo.

Sahgal, N. 2017. "5 Facts about Protestants around the World." *Pew Research Center* (27 out. 2017) http://www.pewresearch.org/?p=296262.

Schama, S. 1988. *The embarrassment of riches: An interpretation of Dutch culture in the Golden Age*. Berkeley, Los Angeles and London: University of California Press.

Silva, V. G. D. 2007. "Neopentecostalismo e religiões afro-brasileiras: Significados do ataque aos símbolos da herança religiosa africana no Brasil contemporâneo." *Mana* 13(1): 207-36.

Smilde, D. 2012. *Razão para crer: agência cultural no movimento evangélico latino-americano*. Trad. Maria Beatriz de Medina. Rio de Janeiro: EdUERJ.

Smith, Amy Erica. 2019. "Evangelicals in Brazil See Abuse of God's Earth as a Sin — but Will They Fight to Save the Amazon?" *The Conversation*. Disponível em: http://www.theconversation.com/evangelicals-in-brazil-see-abuse-of-gods-earth-as-a-sin-but-will-they-fight-to-save-the-amazon-126098

Simões, E. 2014. "'Feliz é a nação cujo Deus é o Senhor', diz Dilma a evangélicos." *Thomson Reuters* (8 ago. 2014) http://br.reuters.com/article/domesticNews/idBRKBN0G81S620140808.

Smith, A. E. 2019. *Religion and Brazilian Democracy: Mobilizing the People of God*. Cambridge: Cambridge University Press.

Spyer, J. 2018. *Mídias sociais no Brasil emergente*. São Paulo: Educ / UCL Press.

Swatowiski, C. 2009. "Dinâmicas espaciais em Macaé: lugares públicos e ambientes religiosos." Mafra, C. and Almeida, R. org. *Religiões e cidades: Rio de Janeiro e São Paulo*. São Paulo: Terceiro Nome. 51-68.

Teixeira, J. M. 2012. *Da controvérsia às práticas: conjugalidade, corpo e prosperidade como razões pedagógicas na Igreja Universal*. Tese de doutorado, Universidade de São Paulo, São Paulo.

Velho, G. 2007. "Metrópole, cultura e conflito." *Rio de Janeiro: cultura, política e conflito*. Rio de Janeiro: Jorge Zahar. 9-30.

Veloso, C. "Caetano Veloso entrevista Henrique Vieira — Parte 1." YouTube, 4 dez. 2018. http://www.youtube.com/watch?v=pXCBnhGbHho.

Vilhena, V. C. 2011. *Uma igreja sem voz: análise de gênero da violência doméstica entre mulheres evangélicas*. São Paulo: Fonte Editorial Ltda.

Vital, C. 2015. *Oração de traficante*. Rio de Janeiro: Garamond.
Wallace-Wells, D. 2019. A terra inabitável. São Paulo: Cia das Letras.
Weber, M. 2002. *The Protestant ethic and the "spirit" of capitalism and other writings*. Londres: Penguin.
Weatherby, J. C. 2017. "It's time to start calling evangelicals what they are: The American Taliban.'" *Church and State* (24 fev. 2017) http://churchandstate.org.uk/?p=89439.
Willadino, R. *et al.* 2018. *Novas configurações das redes criminosas após a implantação das UPPs*. Rio de Janeiro: Observatório de Favelas. (disponível em http:// goo.gl/ocF72Q).

INFORMAÇÕES SOBRE A
GERAÇÃO EDITORIAL

Para saber mais sobre os títulos e autores
da **GERAÇÃO EDITORIAL**,
visite o *site* www.geracaoeditorial.com.br
e curta as nossas redes sociais.

Além de informações sobre os próximos lançamentos,
você terá acesso a conteúdos exclusivos
e poderá participar de promoções e sorteios.

🏠 geracaoeditorial.com.br
📘 /geracaoeditorial
🐦 @geracaobooks
📷 @geracaoeditorial

Gostou do livro que terminou de ler? Aponte a câmera de seu celular para o QR Code e descubra um mundo para explorar.

GERAÇÃO EDITORIAL
Rua João Pereira, 81 – Lapa
CEO: 05074-070 – São Paulo – SP
Tel: (+ 55 11) 3256-4444
E-mail: geracaoeditorial@geracaoeditorial.com.br

Impressão e Acabamento | Gráfica Viena
Todo papel desta obra possui certificação FSC® do fabricante.
Produzido conforme melhores práticas de gestão ambiental (ISO 14001)
www.graficaviena.com.br